Christian Dietrich Grabbe

Napoleon

oder die hundert Tage

Ein Drama in fünf Aufzügen

Nachwort von
Alfred Bergmann

Philipp Reclam jun. Stuttgart

RECLAMS UNIVERSAL-BIBLIOTHEK Nr. 258
Alle Rechte vorbehalten
© 1960, 1985 Philipp Reclam jun. GmbH & Co., Stuttgart
Durchgesehene Ausgabe 1985
Gesamtherstellung: Reclam, Ditzingen. Printed in Germany 2005
RECLAM, UNIVERSAL-BIBLIOTHEK und
RECLAMS UNIVERSAL-BIBLIOTHEK sind eingetragene Marken
der Philipp Reclam jun. GmbH & Co., Stuttgart
ISBN 3-15-000258-3

www.reclam.de

Personen

Die Franzosen

Napoleon und dessen Partei

NAPOLEON I. BONPARTE, *Kaiser der Franzosen*
KÖNIGIN HORTENSE, *seine Stieftochter*
GRAF BERTRAND, *Generaladjutant*
GRAF VON CAMBRONNE, *Generalleutnant, Kommandeur einer Division der alten Garde (der »Granitkolonne«)*
DROUOT, *Generalkommandant der Artillerie*
MILHAUD, *Kommandant der Kürassier-Divisionen*
GRAF VON LOBAU, *Marschall von Frankreich, Kommandeur eines Armeecorps*
LABÉDOYÈRE, *Obrist und Adjutant*
GRAF ST-P-LE, *ein Offizier*
GRAF BOURMONT, *General*
VITRY } *zwei abgedankte Kaisergardisten,*
CHASSECŒUR } *später Hauptleute*
Polnischer Legionsreiter
Zwei alte Gardegrenadiere
Schildwache
Offizier der Gardegrenadiere zu Fuß
Offizier der polnischen Lanzenreiter
Neun Offiziere
Drei Ordonnanzen
Ordonnanz-Offizier
Drei Piqueurs
Oberstallmeister
Sergeant
Capitain der Voltigeurs
Zahlreiche Adjutanten
Fußgardist und dessen Kameraden
Zwei Hauptleute
Soldat
Drei Kürassiere
Zwei Offiziere der Gardegrenadiere zu Pferde
Offiziere der Suite Napoleons

Gardehautboist
Fouché
Carnot
Kammerherr
Lacoste, *Pächter*

Die Kaisergarden. Gardemusik. Infanterie, Kavallerie und Artillerie. Milhauds Kürassiere. Die Granitkolonne. Das Corps des Grafen Lobau. Nationalgarden. Polnische Lanzenreiter. Offiziere. Kuriere. Ordonnanzen. Schreiber.

Ludwig XVIII. und dessen Hof

Ludwig XVIII., *König von Frankreich*
Monsieur (Graf von Artois), *des Königs älterer Bruder*
Herzogin von Angoulême
Herzog von Angoulême
Herzog von Berry
Herzog von Orléans
Gräfin von Choisy, *Hofdame der Herzogin von Angoulême*
Oberzeremonienmeister
Hauptmann der Schweizergarde
Schweizergardist
Kleiner Ofenheizer
Graf Blacas d'Aulps
D'Ambray
Einer aus dem Gefolge des Herzogs von Berry
Oberdirektor des Telegraphen
Marschall Ney, *Fürst von der Moskwa*
Madame de Serré
Alter Marquis
Amme
Zwei Bürger
Kurier *von Wien*

Gefolge des Königs und des Herzogs von Berry. Altadelige Damen und Herren. Emigranten. Schweizergarden. Kammerherren und -diener.

Das Volk von Paris

Ausrufer einer Bildergalerie
Ausrufer einer Menagerie
Polizeibeamter
Savoyardenknabe
Ausrufer bei einem Guckkasten
Ein Gensd'armes
Alter Offizier *in Ziviltracht*
MARQUIS HAUTERIVE   } *zwei Emigranten*
HERR VON VILLENEUVE }
Stuhlvermieterin
Zeitungsausrufer
Alte Putzhändlerin
ADVOCAT DUCHESNE
Alter Gärtner
Dessen Nichte
PIERRE, *deren Verlobter*
Damen der Halle
LOUISE
Zeitungsverbreiter
Zwei Bürger
Emigrant
Schneidermeister
Dessen Frau
Ältliches Frauenzimmer
Nebenstehender
JOUVE
Ein Vorstädter
Göttin der Vernunft
Hauptmann der Gensd'armes
Ankommender
Krämer
Dessen Frau
Junge
Dame

Volk, darunter Bürger, Offiziere, Soldaten, Marktschreier, Savoyardenknaben und andere. Patrouillen. Vorstädter, insbesondere von St-Antoine. Pöbel.

Die Preußen

BLÜCHER
GNEISENAU
HERZOG VON BRAUNSCHWEIG
BÜLOW }
ZIETHEN } *Corps-Kommandeure*
Major eines Bataillons freiwilliger Jäger
Ostpreußischer Feldwebel
Unteroffizier
Schlesischer Infanterist
Zwei Berliner Freiwillige
EPHRAIM
Sechs Jäger
Ziethenscher Husar
Trainknecht einer Kanone
Marketenderin
SCHWARZER BECKER, *Kammerdiener des Herzogs von Braunschweig.*

Soldaten aller Waffengattungen. Adjutanten Blüchers und Gneisenaus. Marketender und Marketenderinnen.

Die Engländer

HERZOG VON WELLINGTON
LORD SOMERSET, *General*
General
Artillerie-Obrist
Obrist
Dessen Adjutant
Offizier des Generalstabs
Dragoneroffizier
Zwei Offiziere
Sergeant der Jäger
JAMES, *ein Jäger*
Fahnenträger
Liniensoldat
Versprengte Dragoner
Hauptmann der hannoverischen Scharfschützen

Alter hannoverischer Scharfschütz
FRITZ, *ein Harzjäger*
HERZOGIN VON CHIMAY
ADELINE
Zwei Aufwärter

Gefolge des Herzogs von Wellington. Damen und Offiziere höchsten Ranges. Volk auf der Straße von Brüssel. Heer und Generalstab. Englische, schottische und hannöversche Offiziere, Adjutanten und Soldaten.

Erster Aufzug

Erste Szene

Paris. Unter den Arkaden des Palais Royal.

Vieles Volk treibt sich durcheinander, darunter Bürger, Offiziere, Soldaten, Marktschreier, Savoyardenknaben und andere. Die sprechenden Personen halten sich im Vorgrunde auf. Vitry und Chassecœur sind zwei abgedankte Kaisergardisten.

VITRY. Lustig, Chassecœur, die Welt ist noch nicht untergegangen, – man hört sie noch – dort oben im zweiten Stock wird entsetzlich gelärmt.

CHASSECŒUR. So? – Ich hörte nichts – Warum lärmen sie?

VITRY. Der alte Kanonendonner steckt dir noch im Ohr. Hörst du denn nicht? Wie rollt das Geld, wie zanken sie sich – sie spielen.

CHASSECŒUR. O mein Karabiner, dürft' ich mit deiner Kolbe wieder die Kisten zerschmettern wie die Gehirne!

VITRY. Ja, ja, Vater Veilchen spielte um die Welt, und wir waren seine Croupiers.

CHASSECŒUR. Blut und Tod! Wären wir es noch!

VITRY. Na, still, nur still – In unsrem schönen Frankreich blühn jeden Lenz das Veilchen, der Frohsinn und die Liebe wieder neu, – Veilchenvater kommt auch zurück.

AUSRUFER EINER BILDERGALERIE. Hier, meine Herren, ist zu sehen Ludwig der Achtzehnte, König von Frankreich und von Navarra, der Ersehnte.

AUSRUFER EINER MENAGERIE *(dem vorigen gegenüber)*. Hier, meine Herren, sehen Sie einen der letzten des aussterbenden Geschlechtes der Dronten, wackeligen Ganges, mit einem Schnabel gleich zwei Löffeln, von Isle de France und Bourbon bei Madagaskar, lange von den Naturforschern ersehnt, ihn zu betrachten und zu zerlegen.

AUSRUFER DER BILDERGALERIE. Hier ist zu sehen der Monsieur, der Herzog von Angoulême, sein Sohn, die Herzogin, dessen Gemahlin, der Herzog von Berry und das ganze bourbonische Haus.

AUSRUFER DER MENAGERIE. Hier erblicken Sie den langen Orang-

Outang, gezähmt und fromm, aber noch immer beißig, den
Pavian, ähnlichen Naturells, die Meerkatze, etwas toller als
die beiden andern, und so genannt, weil sie über die See zu
uns gekommen, den gewöhnlichen Affen, nach Linnée simia
silvanus, und das ganze Geschlecht der Affen, wie es nicht
einmal in dem Pflanzengarten oder den Tuilerien leibt und
lebt.

Ein Polizeibeamter. Mensch, du beleidigst den König und die
Prinzen.

Ausrufer der Menagerie. Wie, mein Herr, wenn ich Affen
zeige? Hier mein Privilegium.

Geschrei. Rettet! Helft dem Unglücklichen!

Chassecœur. Was da?

Vitry. Aus dem zweiten Stock stürzt einer auf das Pflaster, und
sein Gehirn beschmutzt die Kleider der Umstehenden. Wohl
ein Spieler, der sein Alles verloren hat.

Chassecœur. Oder den die Mitspieler aus dem Fenster geworfen
haben, weil er betrogen oder zuviel gewonnen hat.

Vitry. Wie du raten kannst. – Das Volk zittert und faßt ihn nicht
an. Ich will ihm beispringen.

Chassecœur. Pah, laß ihn liegen.

Vitry. Freund, hätt' er nun Frau und Kind, die ohne ihn verhun-
gern müßten?

Chassecœur. Mir recht lieb. Ich muß auch hungern, – ich wollte
die ganze Welt hungerte mit zur Gesellschaft. – Vitry, wir!
Als wir Italien, Deutschland, Spanien, Rußland, und Gott
weiß was sonst, plünderten und brandschatzten, tausend und
aber tausend Damen dieser Länder karessierten oder not-
züchtigten, das Geld in Haufen auf die Straße warfen, den
Kindern zum Spielwerk, weil wir jede Minute neues bekommen konnten, – hätten wir da gedacht, jetzt zusammen keine
vier Sous in der Tasche zu haben, abgesetzt, der Gage beraubt zu sein durch die schwammigen, seewässerigen,
schwindsüchtelnden –

Vitry. Bonbons, oder wie es heißt. Kenne den Namen nicht
genau. – Doch höre! der kleine Savoyarde.

Savoyardenknabe *(mit Murmeltier und dem Dudelsack).*

      La marmotte, la marmotte,
      Avec si, avec là,
      La marmotte ist da.

Von den Alpen –
Schläft im Winter, –
Wacht im Sommer, –
Und tanzt in Paris.
La marmotte, la marmotte,
Avec si, avec là,
La marmotte ist da.

AUSRUFER BEI EINEM GUCKKASTEN. Meine Damen und meine Herren, hieher gefälligst. – Etwas Besseres als eine elende Marmotte, – die ganze Welt schauen Sie hier, wie sie rollt und lebt.

SAVOYARDENKNABE. Was schimpfst du mein Tierchen? Es ist wohl ebenso gut als dein Guckkasten – *(Zu seinem Murmeltiere.)* Armes Ding, siehst ordentlich betrübt aus, – der grobe Mensch hat dich beleidigt – O mein Schätzchen, freue dich, sei wieder munter – niemand glaubt dem Schimpfen – ich gebe dir auch zwei dicke, süße Wurzeln zu Mittag. Nur wieder munter!

AUSRUFER BEI DEM GUCKKASTEN. Sieh da, Zuschauer! – Willkommen! – Erlaubnis, daß ich erst die Gläser abwische – So – Treten Sie vor. – Da schauen Sie die große Schlacht an der Moskwa – Hier Bonaparte –

CHASSECŒUR. *Napoleon* heißt es!

AUSRUFER BEI DEM GUCKKASTEN. – Bonaparte auf weißem Schimmel –

CHASSECŒUR. Du lügst! Der Kaiser war zu Fuß und kommandierte aus der Ferne. Ich hielt keine zwölf Schritt von ihm als Ordonnanz.

AUSRUFER BEI DEM GUCKKASTEN. Und da, meine Herren und Damen, erblicken Sie den großen, edlen Feldmarschall Kutusow –

CHASSECŒUR. Die alte Schlafmütze, die den Löwen zu fangen verstand, aber nicht zu halten wußte. Hätt' er mit seinen Leuten jeden Tag nur viertausend Schritt mehr gemacht, so kam kein Franzose aus Rußland.

DER AUSRUFER BEI DEM GUCKKASTEN. Und hier schauen Sie den Übergang über die Beresina!

VITRY. Eh, da schlug ich ja die Pontons mit auf!

CHASSECŒUR. Beresina! Eis und Todesschauer! – Da war ich auch – Laß doch sehen! *(Er tritt an ein Glas des Guckkastens.)* Mein Gott, wie erbärmlich! – Vitry, guck' einmal!

Vitry. Ich gucke. Dummes Zeug. Ich hatte damals nichts im
   Leibe und stand drei Fuß tief im Wasser, unter herüberflie-
   gendem feindlichen Kanonenhagel. Du gabst mir einen
   Schnaps –
Chassecœur. Es war mein vorletzter –
Vitry. Wie albern hier – weder Pioniere, Gardisten, Linie sind
   zu unterscheiden – Und wie wenig Leichen und Verwun-
   dete!
Chassecœur *(zum Ausrufer)*. Mann, kannst du Frost, Hunger,
   Durst und Geschrei malen?
Der Ausrufer bei dem Guckkasten. Nein, mein Herr.
Chassecœur. So ist das Malerhandwerk Lumperei.
Der Ausrufer bei dem Guckkasten. Ah, und da sehen Sie die so
   braven, aber jetzt geschlagenen Franzosen über die Beresina
   flüchten.
Vitry. Mein Herr und Freund, die Schläge, die wir damals
   erhielten, will ich sämtlich auf meinen Rücken nehmen, ohne
   daß er davon blau wird.
Chassecœur. Recht, Vitry! – Wir, nur achttausend Mann,
   umstellt wie ein Wildpret, schlugen uns durch sechszigtau-
   send Schufte, und entkamen.
Vitry. Und das nannten sie Sieg!
Chassecœur. Die armen russischen Teufel wissen wohl nicht,
   was ein rechter Sieg ist.
Der Ausrufer bei dem Guckkasten. Und hier, meine Damen
   und Herren, die große Völkerschlacht bei Leipzig – Schauen
   Sie: da die bemoosten grauen Türme der alten Stadt, – da
   die alte Garde zu Fuß, voran der Tambourmajor, mit dem
   großen Stab, wie er ihn todverhöhnend lustig in die Luft
   wirft, – hier die alte Garde zu Pferde, im gelben Kornfelde
   haltend, wie ein Pfeil, der abgeschossen werden soll. – Dort
   die braven Linientruppen schon im Gefechte. Hier die preußischen Jäger mit den kurzen Flügelhörnern –
Vitry und Chassecœur. O Preußen und Patronen!
Der Ausrufer bei dem Guckkasten. – und da im Regen, unter
   dem Galgen, den er verdient, der Blutsauger, der jämmerliche korsische Edelmann, jetzt entflohen vor dem gerechten
   Zorne seines rechtmäßigen Fürsten, Ludwigs des Achtzehnten, der meuchelmördrische Bonaparte –
Vitry. Wer sagt *das*?

CHASSECŒUR. Schurke, mehr wert war Er, als alle deine Ludwigs – wenigstens zahlte er den vollen Sold.

VITRY. Den Kaiser laß ich nicht beschimpfen! Entzwei den Guckkasten!

DER AUSRUFER BEI DEM GUCKKASTEN. Hülfe! Hülfe! – Konspiration! – Gensd'armes! – Man spricht hier von Kaisern!

VITRY. Ja, und die Könige zittern!

PÖBEL *(kommt)*. Kaiser, Kaiser, – ist er wieder da?

DER AUSRUFER BEI DEM GUCKKASTEN. Was weiß ich. Meinen Kasten haben sie mir in Stücken geschlagen. Er kostet funfzig Francs.

VITRY. Bitte die Angoulême, daß sie ihn dir bezahlt. – Hier ist deines Bleibens nicht mehr.

DAS VOLK *(auf den Ausrufer losdringend)*. Der Lump – Zerreißt ihn –

EIN GENSD'ARMES *(kommt)*. Guckkasten-Kerl, fort mit dir, – du veranlassest Aufruhr –

DER AUSRUFER BEI DEM GUCKKASTEN. Ich lobe den König.

DER GENSD'ARMES. Darum brauchst du andre nicht zu schimpfen – Fort!

DAS VOLK. Herrlich! Es lebe die Gensd'armerie!

EIN ALTER OFFIZIER IN ZIVILTRACHT. Chassecœur.

CHASSECŒUR. Die Stimme kenn' ich von den Pyramiden her, als wir da unser Trikolor hoch über Kairos Minarets aufpflanzten, und der Nil zu unsern Füßen rollte. – Mein Hauptmann, seit Ägypten sah' ich dich nicht.

DER ALTE OFFIZIER. Ich focht während der Zeit bald in St-Domingo, bald in Deutschland, dann bei Cattaro, dann in Schwedisch-Pommern, und zuletzt bei Riga und Montereau.

CHASSECŒUR. Na, ich war die Zeit über meistens in Österreich, Italien und Spanien, zuletzt in Rußland und Deutschland. Und bei Montereau kämpft' ich auch, vielleicht in deiner Nähe.

DER ALTE OFFIZIER. Chassecœur, wir haben beide eine schlechte Karriere gemacht, – ich bin Hauptmann geblieben, du, wie's scheint, Gefreiter. Und nun sind wir überdem des Dienstes entlassen.

CHASSECŒUR. Wahr – du und ich könnten so gut als Marschälle figurieren, wie die verräterischen Schurken, der Augereau und der Marmont, vielleicht Kaiser dazu sein, wie der Napoleon.

VITRY. La la! Den einen trägt, den andern ersäuft die Woge des Geschicks. Das Herz nur frisch, es ist die Fischblase, und hebt uns, wenn wir wollen, bis wir krepieren, sei es so oder so. *(Zu einer vorübergehenden Dirne)* Einen Kuß, mein Kind!

DER ALTE OFFIZIER. Was verwahrst du an der Brust? Ist es etwas zu essen, Chassecœur? Gib mir davon.

CHASSECŒUR. Hauptmann, ich ess' es nicht und doch macht es mich bisweilen satt und dich vielleicht auch.

VITRY. Nun geht es los mit seinen verwünschten Phrasen, und sie rühren mich doch.

CHASSECŒUR. Es ist ein Adler der Garde, von mir gerettet, als er unter tausend Leichen hinsinken wollte bei Leipzigs Elsterbrücke. Und – sonst hole mich der Satan! (wenn es einen gibt) die Sonne kommt zurück, zu der er wieder auffliegt.

DER ALTE OFFIZIER. Ich glaub' es auch: jetzt ist es zwar Nacht, und die Toren wähnen, das Licht bliebe aus. Aber sowenig wie die Sonne dort oben, kann eine Größe wie die Seinige untergehen und Er kommt wieder.

VITRY. Das wäre! Hier werf' ich meine letzten Sous in die Luft! Es lebe – Doch still – *(Er hält sich die Hand auf den Mund.)*

CHASSECŒUR. Deine paar Sous konntest du sparen. Was hilft es uns, daß der Kaiser zurückkommt, wenn wir unterdes verhungert sind?

DER ALTE OFFIZIER. Wer ist der Mann, Kamerad?

CHASSECŒUR. Von der jungen Garde zu Fuß, drittes Regiment, zweite Compagnie, heißt Philipp Vitry, und denkt wie ich.

DER ALTE OFFIZIER. Er scheint sehr lustig, ungeachtet seines Elends.

VITRY. Das bin ich, mein Herr. Jetzt geht's schlecht. Aber gibt's künftig Gelegenheit, so habe ich zwei Hände zum Losschlagen, und gibt's keine, habe ich zwei Füße zum Tanzen.

> Kommt das Weh,
> Scheuch's mit Juchhe,
> Schlag den König am Morgen tot,
> Denke des Kaisers beim Abendbrot!

Chassecœur, laß dich umarmen!

CHASSECŒUR. Ach, laß die ewigen Narrenteidungen! – Der springt und lacht, und mir krümmen sich die Finger vor Wut in die flache Hand, als wären sie zehn getretene Würmer und mir knirschen die Zähne nach – Die Angoulême mag sich nach ihren Pfaffen umsehen, kommt sie in meinen Bereich–

DER ALTE OFFIZIER. Kamerad, hoffe –

CHASSECŒUR. Würge! Alles Lumpenzeug, so weit wir uns umsehen.

DER ALTE OFFIZIER. Auch die sechstausend verabschiedeten Offiziere der großen Armee, die sich gleich uns unter diesem Haufen herumtreiben?

CHASSECŒUR. Nein. Ich sehe und schätze sie wohl. Aber daß auch sie sich so lumpen lassen müssen! – Sieh, der da ist einer – und zwar von den Ingrimmigen, nicht still und traurig wie du –

DER ALTE OFFIZIER. Freund, ich habe Familie –

CHASSECŒUR. Ja so – Doch der da hat keine. – Am abgetragenen, faserigen Überrock, den er so zornig schüttelt, an den alten Militärgamaschen, mit denen er auftritt, als ging' es über Leichen, und dem blutdunkelnden Auge erkennt man ihn mitten in dem Hefen des vornehmen und niedrigen Gesindels, eines so schlecht als das andere. Tod und Hölle, der ist von anderem Stahl als die neuen königlichen Haustruppen, vor denen jetzt Sieger von Marengo das Gewehr präsentieren müssen. Der lief nicht den Bourbons nach, als sie wegliefen – Geschmiedet ist er in den Batteriefeuern von Austerlitz oder Borodino.

VITRY. Bruder! welch ein Tag, als unsere Lanzenreiter durch die östlichen Tore von Moskau auf den Wegen nach Asien hinsprengten!

CHASSECŒUR. Ja, da konnte man noch denken in den Schatzgewölben und Harems von Persien, China und Ostindien zu schwelgen! Ach, es kommt einem jetzt auf der Welt so erbärmlich vor, als wäre man schon sechsmal dagewesen und sechsmal gerädert worden.

(Die Emigranten Marquis Hauterive und Herr von Villeneuve kommen.)

MARQUIS VON HAUTERIVE. Nicht mehr das alte Palais Royal, mein Teurer. Alles anders –

VITRY. Und darum auch wohl schlechter?

MARQUIS VON HAUTERIVE *(nach einigem Bedenken mit verachtender Miene antwortend)*. Ja, mein Freund, – schlechter. *(Zu *dem Herrn von Villeneuve, mit dem er etwas weiter zur Seite tritt.)* Was der Pöbel frech geworden ist.

HERR VON VILLENEUVE. Er soll schon wieder werden wie sonst, bei meinem Degen.

MARQUIS VON HAUTERIVE. Es wird schwer halten. Denn, Herr von Villeneuve, sollte man nicht glauben die Welt wäre seit den achtziger Jahren untergegangen? Es gibt nicht nur am Hofe bürgerliche Dames d'atour, sondern sie sollen auch wagen, sogar in Gegenwart des Königs sich auf die Tabourets zu setzen!

HERR VON VILLENEUVE. Schändlich, entsetzlich! Bei Gott, wäre Ludwig der Achtzehnte nicht mein angeborener König, ich könnt' ihn wegen seiner schwächlichen Nachgiebigkeit auf dieses Schwert fodern. Doch die Sache wird, *muß* Verleumdung sein, von Antiroyalisten ausgesponnen, um den König zu erniedrigen.

MARQUIS VON HAUTERIVE. Und, Herr von Villeneuve, was sagen Sie zu den neugebackenen Fürsten, Herzogen und ihren Gemahlinnen, besonders zu der Frau des Ney, sogenannten Fürstin von der Moskwa?

HERR VON VILLENEUVE. Ich achte sie des Wortes nicht wert.

MARQUIS VON HAUTERIVE. Welche geschmacklose Kleidung, welches dummdreiste Benehmen, welche wüste Konversation, welche Arroganz! – Weiß denn die Person nicht, daß wir recht wohl wissen, daß sie eine Bäckerstochter ist?

HERR VON VILLENEUVE. Mein Herr Marquis, das kommt alles davon her, daß die hochselige Maria-Antoinette zu herablassend mit der Canaille umging und den König zum selben Benehmen verleitete. Nie etwas Gutes aus Österreich für Frankreich!

MARQUIS VON HAUTERIVE. Ach, die gute alte Zeit – die damaligen eleganten, zierlichen Salons – Nun überschwemmt von dem gemeinen Vieh!

HERR VON VILLENEUVE. Es muß anders, anders, und es soll anders werden, Marquis, bei meinem Wappen. Schurken haben uns alle unsere alten Rechte und Güter geraubt, – jedes Gericht muß uns unser Eigentum wieder zuerkennen, denn wir haben ihm nie entsagt – – Denken Sie, mein Herr, mein so hübscher Landsitz, la Merveille bei Tours, an dem die Loire so lieblich sich hinschlängelt, in dessen Taxusgängen wir beide so oft mit den Damen der Nachbarschaft uns im freundlichen Herbste von 1783 bis zum schwindenden Abendrot ergötzten, in dem ich schon als Kind stets die erste Blume des Frühlings für Adelaide, Vicomtesse von Clary brach, meiner toten aber nimmer vergessenen Geliebten, – gehört jetzt einem filzigen Fabrikherrn! Niedergerissen sind die hohen Hecken, Dampfmaschinen brausen in den Gewächshäusern und Kartoffeln haben sich an die Stelle der kostbaren Tulpenzwiebeln von Harlem gedrängt!

MARQUIS VON HAUTERIVE. Nun, Blacas d'Aulps und die Angoulême werden uns schon helfen und – *(Hauterive und Villeneuve gehen weiter.)*

VITRY *(deutet ihnen nach).* Die beiden Emigranten! Welche Rockschöße, welche Backentaschen, welche altfränkische Mienen und Gedanken, welche Gespenster aus der guten, alten und sehr dummen Zeit!

DER ALTE OFFIZIER. Von der Revolution mit ihren blutigen Jahren wissen sie nichts, Philipp Vitry, – das ist vorüber, sie aber sind geblieben, wie bisweilen der Bergstrom verbraust und das Gräslein bleibt, und vielleicht darum sich für stärker hält, als die Fluten, welche es eben noch überschütteten und die Ufer auseinanderrissen. Nicht einen Strohhalm weit sind sie aus sich und ihrem stolzen Wahn herausgegangen und Ludwig der Achtzehnte selbst datiert ja seine Regierung seit fünfundzwanzig Jahren –

CHASSECŒUR. Was zum Totlachen ist! – Als er regiert haben will, schossen wir in Vincennes auf obrigkeitlichen Befehl seinen Vetter und Helfershelfer, den Enghien, tot und ich selbst band ihm, da es Nacht war, die Laterne vor die Brust, um besser zu zielen.

DER ALTE OFFIZIER. O daß ich so alt geworden und nicht in einer Schlacht gefallen bin, ehe die Bourbons in Paris einzogen. *(Zu einer Stuhlvermieterin.)* Dame, darf ich mich niedersetzen? Meine Füße sind sehr müde, ich kann aber nicht für den Sitz zahlen.

DIE STUHLVERMIETERIN. Ich seh' Ihnen an, Sie sind ein Offizier der großen Armee. Gebieten Sie über meine Stühle nach Belieben.

ZEITUNGSAUSRUFER. Was Wichtiges! Wichtiges! Vom Palais Bourbon, aus der Deputiertenkammer! Hier die Journale!

VIELE STIMMEN. Her damit – Lies sie vor!

EINE ALTE PUTZHÄNDLERIN. Nein, hieher Ausrufer, – hieher – Deine wichtige Nachricht gehört an diesen Tisch!

ZEITUNGSAUSRUFER. An das morsche, alte Brett?

DIE ALTE PUTZHÄNDLERIN. Respekt vor ihm, Mann! Der Tisch ist klassisch – Auf diesem Fleck fiel zuerst das Fünkchen, welches die Welt entzündete. Hier saß ich am zwölften Juli des Jahres siebenzehnhundertneunundachtzig, nachmittags gegen halb vier Uhr, an einem sonnigen Tage, und selbst noch jung und heiter verkaufte ich einem fröhlichen Bräutchen aus St-Marceau einige Spitzen. Wir scherzten über den Preis und dachten an nichts als den Hochzeittag. Da kam ein Mann mit wild flutenden Locken, brennenden Augen, herzzerschmetternder Stimme – es war Camille Desmoulins – die Tränen rannen ihm aus den Augen, zwei Pistolen riß er aus der Tasche und rief: Necker hat den Abschied, eine Bartholomäusnacht ist wieder da, nehmt Waffen und wählt Kokarden, daß wir einander erkennen. Und seitdem ist er, sind der gewaltige Danton, der erhabene Hérault de Séchelles, der schreckliche Robespierre unter dem Messer der Guillotine gefallen, seitdem hat der Kaiser über der Erde geleuchtet, daß man vor dem Glanze die Hand vor die Augen hielt, und ist doch dahin geschwunden wie ein Irrwisch, drei meiner Söhne sind seitdem in den Schlachten geblieben, – viel, viel Blut und unzählige Seufzer hat mir die Revolution gekostet, aber sie ist mir um so teurer geworden und an diesem Tische lies die wichtigen Zeitungen! – Das ist ja jetzt mein letztes einziges Vergnügen!

VOLK. Ja, braves Mütterchen, an deinem Tische soll er sie lesen!

VITRY. Das soll er! Der Augenblick vom zwölften Juli 1789, nachmittags halb vier Uhr, an diesem Tische erlebt, war mehr wert, als die Jahrhunderte, die ihn vielleicht verderben!

ZEITUNGSAUSRUFER. Nicht nötig, daß ich hier lese, meine Herren – da kommt einer, der es euch deutlich genug sagen wird.

ADVOCAT DUCHESNE (*stürmt durch die Menge an den Tisch der Putzhändlerin*). Hört, hört, und nehmet euch in acht, daß ich euch nicht mit meiner Nachricht die Ohren zersprenge! Alles, alles wird bedroht, die dummsten frechsten Hände greifen dreist in die Speichen des Schicksalrades – In der Deputier-

tenkammer geschehen vom Ministerium Anträge gegen die
Käufer der Nationalgüter –

VOLK. Ha!

CHASSECŒUR *(lacht)*. Geht's denen auch nicht besser als uns?
Eh!

DUCHESNE. Klöster sind wieder da, die Ächtung aller Herren der
Revolution ist im Werke, Leibeigenschaft wird darauf folgen –
*(Marquis von Hauterive und Herr von Villeneuve sind wieder
näher getreten.)*

MARQUIS VON HAUTERIVE. Nun, mein Herr, das wäre alles noch
so übel nicht.

HERR VON VILLENEUVE. Das mein' ich wahrlich auch.

VOLK. Was? »So übel nicht?« »Das mein ich auch?« Zu Boden
die altadligen Schurken, die dummstolzen Feiglinge!

HERR VON VILLENEUVE. *Dumm*, das mag sein – *stolz* sind wir
gewiß – Feiglinge aber zeugte Frankreichs Adel nimmer. –
Probiert das an uns – – Zücken wir die Degen, Marquis, und
lassen Sie uns untergehen wie Männer.

MARQUIS VON HAUTERIVE. Mit Freuden – Für Gott, für meinen
König und mein Recht!

HERR VON VILLENEUVE. Und für die Damen unserer Jugend!

VITRY. Jetzt wohl alte Schachteln!

HERR VON VILLENEUVE. Schurke, du hast dir den Tod an den Hals
gesprochen. *(Er will den Vitry durchbohren.)*

VITRY. Ich glaub' es nicht – Dir aber und deinem Freunde will ich
den Hals retten. *(Er entwaffnet ihn und den Marquis.)*

CHASSECŒUR. Vitry, sei kein Narr – Laß mich den Hunden »Marquis und Herr von« im Gedränge eins unter die Rippen geben
– Niemand merkt es und sie sollen verrecken.

VITRY. Nein, die Kerle mögen schlecht sein, aber sie haben Courage – Die schätz' ich überall – Hoch lebe der Mut, auch bei
französischen Emigranten!

VOLK. Er lebe!

HERR VON VILLENEUVE *(zum Marquis von Hauterive, indem er
mit ihm entfernt wird)*. Wer sollt' es glauben, Marquis, daß
gemeines Volk doch noch so viel Gefühl für Mut und Ehre
haben könnte?

MARQUIS VON HAUTERIVE. Ach, es ist mehr augenblickliche Auf-
wallung als echtes Gefühl.

DUCHESNE. All dieses Volk, bis zu dem Kanzler des Königs, zu
dem invaliden Advocaten d'Ambray hinauf, kennt es uns, die
Weltenstürmer? Sieht es nicht die große Nation an, als wäre
sie ein albernes Kind? Nicht uns, der Gnade Englands –
VOLK. Nieder die Beefsteaks!
DUCHESNE. – der Gnade Englands verdankt seinem Irrwahn
nach König Ludwig die Krone – Frankreichs Krone! so leuch-
tend und so gewaltig, daß sie selbst einen Riesen, der sie
trüge, und schwenkte er den Trident des Neptuns noch leichter als die großbritannische Majestät, Aug' und Haupt ver-
blenden und zerschmettern könnte! Und noch mehr: – wenn
der König uns unsere Rechte läßt, so nennt er das nicht Ge-
rechtigkeit, sondern er sagt: er setze seiner durch Gott und
Blut angeerbten –
CHASSECŒUR. Schlachtenblut, nicht Weiberblut macht adlig.
DUCHESNE. – angeerbten Machtvollkommenheit Schranken. –
Schranken! Schranken! – Wenn sie sich nur vor dem Worte
hüteten: Ludwig der Sechzsehnte stand vor den *Schranken*,
die ihm das Volk setzte und zerschmetterte daran mit allen
seinen Höflingen zu blutigem Schaum! – Wie? können uns
jeden Tag ein paar Ordonnanzen im Moniteur mit drei Zeilen
nehmen, was wir in fünfundzwanzig Jahren errangen? Ist das
Volk denn gar nichts? Ist es das Erbteil einiger Familien?
DIE ALTE PUTZHÄNDLERIN. Ganz, ganz so, mein Sohn, wie
Camille Desmoulins!
VITRY. Da kommen Gensd'armes!
DUCHESNE. Laß sie kommen, Freund. Ich muß es aussprechen
und die Wahrheit verkünden. Selig sind die, die da blind sind,
und zu sehen wähnen, aber unselig sind die Sehenden, welche
bemerken, daß Blinde nichts erblicken, und dennoch han-
deln, als sähen sie. Der König ist gut, aber das Geschmeiß der
Aasfliegen aus den Zeiten der Pompadours verdunkelt ihm
das Auge. – Hinter russischen, hinter preußischen Bajonet-
ten wähnen sie die Nation mit Edikten niederschlagen und
sich selbst erheben zu können – Aber wartet! –
CHASSECŒUR. Nur nicht zu lange, mein Herr.
DUCHESNE. Noch ist es nicht aller Tage Abend, und wär' er da, so
möchte wieder gebadet in den Wogen seines heimatlichen
Mittelmeers mit neuem Glanze ein ungeheurer Meerstern
aufsteigen, der die Nacht gar schnell vertriebe!

VITRY. Der Stern hat einen grünen Rock an, Obristenepauletts, weiße Weste, weiße Hosen, einen kleinen Degen, und schlägt in der Bataille die Arme unter.

CHASSECŒUR. Wir schwingen sie desto besser für ihn!

GENSD'ARMES. Aufruhrschreier – Ihr werdet verhaftet.

DUCHESNE. Zeigt ein Gesetz, welches das erlaubt. Frei zu reden, ist nirgends verboten.

CHASSECŒUR. Frei essen wäre besser.

VOLK. Da kommt der Herzog von Orléans!

CHASSECŒUR. Der ist von der Bourbonischen Race noch der Erträglichste. Die krumme Nase hat er aber auch.

VIELE AUS DEM VOLK. Respekt vor ihm, – Er ist der Sohn Egalités, und kämpfte für Frankreich, als sein Vater auf dem Schafott fiel.

HERZOG VON ORLÉANS. Gensd'armes, was für Leute verhaftet ihr da?

EIN GENSD'ARMES. Aufrührerische Redner, mein Fürst.

HERZOG VON ORLÉANS. So laßt sie frei, auf der Stelle   *(Es geschieht.)* Wehe dem Lande, das sich vor Reden und Rednern zu fürchten hat.

VOLK. Hoch Orléans, einst König.

HERZOG VON ORLÉANS. Das letztere nie, – doch stets euer Freund. *(Er entfernt sich.)*

VIELE STIMMEN. Welch ein trefflicher Prinz!

CHASSECŒUR. Würde auch endlich weggejagt, wenn er je König werden sollte.

VOLK. Ha! da kommt auch der Herzog von Berry!

CHASSECŒUR. Zu Fuß, von der Revue seiner Hausgarden, der altadligen Zuckerhüte, die ihre Gewehre verstecken, wenn es regnet. O Dreikaiserschlacht bei Dresden!

VITRY. Freilich, da regnete es sehr, und wir trieben sie doch in die böhmischen Berghöhlen, wie das Vieh in den Stall.

CHASSECŒUR. Sieh einmal den großen weißen Federstrauß, den der Junge am Kopfe trägt! Mir tun die Augen davor weh!

VITRY. I, Freund, das ist der Helmbusch Heinrichs des Vierten, seines Ahnherrn – Seine Familie hat den Strauß so oft im Maul, daß ich fürchte, er wird endlich schmutzig.

CHASSECŒUR. Heinrich der Vierte? Was war der? Was tat er?

VITRY. Er war König von Frankreich und schlug ein paarmal einige tausend Rebellen.

CHASSECŒUR. Der Knirps! – Weiter nichts?

VITRY. Da frage die Gelehrten, ich weiß nicht mehreres. – – Der Berry bemerkt dich, sieht die Schmarren in deinem Gesicht. – Er will dich anreden.

CHASSECŒUR. Er will durch mich einen Coup auf das Volk machen. Aber er irrt sich, der herzogliche Gelbschnabel. Ich bin nicht darnach behandelt worden, ihm entgegenzukommen.

VITRY. Und wenn er dir nun etwas verspricht?

CHASSECŒUR. In den Dreck damit. Sie halten es doch nur so lange, als sie müssen.

HERZOG VON BERRY. Alter, braver Kamerad –

CHASSECŒUR. Danke. Ich weiß nicht, daß ich je mit Eurer königlichen Hoheit zusammen gefochten.

HERZOG VON BERRY. Woher hast du die ehrenvollen Narben?

CHASSECŒUR. Das können Sie an ihren Namen hören: diese heißt Quiberon, da stürzten wir die Emigranten in das Meer, – diese heißt Marengo, da packten wir Italien, – diese – ach!

VITRY *(für sich).* Ach, Leipzig!

CHASSECŒUR. Und wenn es gerade schlechtes Wetter oder schlechte Zeit ist, wie jetzt eben, so schmerzen diese Narben entsetzlich.

EINER AUS DEM GEFOLGE DES HERZOGS. Mensch, wer bist du, daß du so zu reden wagst?

CHASSECŒUR. Ach lieber, gnädiger Herr – Wer ich bin oder sein soll, weiß ich nicht, aber wer ich *war*, das kann ich Ihnen sagen *(sich stolz aufrichtend)*: Ein kaiserlicher Gardegrenadier zu Pferde, zweite Schwadron, dem Ehrenkreuze nahe.

HERZOG VON BERRY *(zu seinem Begleiter).* Still, rege nicht alte Wunden auf. *(Zu Chassecœur.)* Ich schaffe dir eine Versorgung im Dome der Invaliden.

CHASSECŒUR. Deren bedarf ich noch nicht, Ew. königliche Hoheit.

HERZOG VON BERRY. So nimm mit meinem guten Willen vorlieb. – Es lebe der König! –

CHASSECŒUR. Hm! –

(Alles schweigt; der Herzog von Berry mit seinem Gefolge ab.)

DER ALTE OFFIZIER. Wahrlich, wenn das so schlimm mit den Bourbons steht, wie jetzt –

VITRY. So fallen sie bald um.

DER ALTE OFFIZIER. Ob sie gehöhnt oder gelobt werden, das
    Volk bekümmert sich nicht einmal um sie.
VITRY. Desto schlimmer, – es kennt sie nicht.
CHASSECŒUR. Dafür kennt es einen Andren desto besser. –
    Kommt, laßt uns sehen, wo wir etwas zu essen erringen. –
    (Auf den Boden stampfend.) Oh! verdammtes Pflaster, das so
    viele Buben trägt! *(Ab mit Vitry und dem alten Offizier.)*
SAVOYARDENKNABE *(mit Murmeltier und Dudelsack).*
        La marmotte, la marmotte
        Avec si, avec là etc. etc.

Zweite Szene

Paris. Große Galerie in den Tuilerien.

*Gedränge von Volk, viele altadelige Herren und Damen darun-
ter. Schweizergarden stehen auf Wache. Kammerherren und
Kammerdiener eilen auf und ab.*

MADAME DE SERRÉ. Gleich kommt er, kommt er aus der heiligen
    Messe, hier vorbei, er, das Glück Frankreichs! – Amme halte
    meine kleine Enkelin hoch empor, daß sie ihn ja recht sieht!
    Und bestecke sie mit Lilien, – hier sind noch vier!
DIE AMME *(hält ein Mädchen auf dem Arme).* Madame, Made-
    moiselle Victoire ist mit den weißen Kokarden schon über
    und über geschmückt und ich kann ihr keine mehr anheften.
MADAME DE SERRÉ. Tut nichts – Hefte, hefte – Versuch's! – Das
    Weiße! welch eine Farbe – welche Reinheit, welche Tugend
    schimmert aus ihm. – Ach, es ist ja auch das bourbonische
    Abzeichen.
EIN ALTER MARQUIS. Madame, treten Sie vor – der König kommt
    mit seinem Hause.
SCHWEIZERGARDIST. Zurück!
DER ALTE MARQUIS. Wir sind treue Untertanen Sr. Majestät,
    wünschen gern Sein Antlitz zu sehen – Laß mindestens diese
    Dame vor.
SCHWEIZERGARDIST. Zurück!
MADAME DE SERRÉ. Das ist ein nordischer Bär! Er droht uns
    schon mit dem Bajonett!
DER ALTE MARQUIS. Da ist die königliche Familie!

*(König Ludwig mit dem Herzog, der Herzogin von Angoulê-
me, dem Prinzen Condé und Gefolge tritt auf.)*

MEHRERE STIMMEN. Monsieur und der Herzog von Berry fehlen!

DER ALTE MARQUIS. Wir sehen ja hier der Erlauchten genug – Es
lebe der König!

MANCHE DER ANWESENDEN. Es lebe der König!

MADAME DE SERRÉ. Enkelin, rufe, ruf': Es lebe der König!

EIN BÜRGER. Das »Lebe der König« tönt sehr dünn!

EIN ANDERER BÜRGER. Dafür kommt es aber aus adeligen
Kehlen.

MADAME DE SERRÉ. Welch ein Mann! Das ist, Herr Marquis, das
ist noch ein König! Ein *geborner*! Diese heitere Miene, dieser
Adel im Antlitz –

DER ALTE MARQUIS. Die unwillkürliche Grazie –

MADAME DE SERRÉ. Selbst in dem scheinbar nachlässigen
Gange –

ERSTER BÜRGER *(zu dem andern)*. Der dicke Herr König hinkt ja
wie der Teufel –

ZWEITER BÜRGER *(zum ersten)*. Das kommt vom Podagra.

ERSTER BÜRGER. Und das Podagra kommt vom Saufen, Fressen
und –

ZWEITER BÜRGER. Sieh einmal, welch ein ernsthaftes Bocksgesicht geht ihm zur linken Seite –

ERSTER BÜRGER. Still, still! Die hagere Dame auf der rechten
Seite ist Frau des Bocksgesichts, – sie selbst steht unter der
Jesuitenkutte, er steht unter ihrem Pantoffel, der König steht
unter ihm, und Frankreich unter allen zusammen.

ZWEITER BÜRGER. Mönchskutte also unsre Krone, Weiberpan-
toffel unser Szepter, und Schwächlinge, die sich davon beherrschen lassen, unsere Tyrannen! – – – Diese Prozession
mit ihren Pfaffen, – und der Kaiser mitten unter dem Generalstabe zu Pferde an den Linien der Sieger dahinfliegend –
Vergleiche!

DER ALTE MARQUIS *(zu der Madame de Serré)*. Die Herzogin von
Angoulême ist wirklich noch immer sehr schön.

MADAME DE SERRÉ. Wahr, Marquis! Habsburgs Adler scheint
über den Lilien Bourbons zu schweben, sieht man den erha-
benen Zug ihrer Nase und den blendenden Teint ihrer
Wangen!

DER ALTE MARQUIS. Sehr fein ausgedrückt, Madame – Wie fröh-

lich der König dasteht und in seiner treuen Nation sich um-
schaut.

ZWEITER BÜRGER. Nation? Höre doch, Nachbar! die paar alten,
der Guillotine entlaufenen Weiber und Herren nennen sich
Nation!

MADAME DE SERRÉ. Wie sollte er nicht heiter sein, Marquis? –
Wir alle, sind ja seine Kinder.

ERSTER BÜRGER *(für sich)*. Ja, ihr seid *alte* Kinder, – junge hat er
nicht und kann sie auch nicht mehr machen.

ZWEITER BÜRGER. Komm, laß uns fortgehen. Ich kann dies nicht
mehr hören und anschauen. Dieses Geschlecht ist schlimmer
als schlimm, es ist *ekelhaft*!

MADAME DE SERRÉ. Was seh' ich? Der König winkt mir, tritt auf
mich zu!

SCHWEIZERGARDIST *(zum Könige)*. Zurück!

DER KÖNIG. Ich bin der König, Freund.

SCHWEIZERGARDIST. Und dies ist mein Posten, auf den mich mein
Offizier gestellt hat und für den ich bezahlt werde. Zurück,
oder –

DER KÖNIG. Schon gut, gut, braver Krieger – *(Für sich.)* Was für
ein treues, dummes Tier! *(Laut.)* Madame de Serré, ich kenne Sie, und wünschte Sie zu grüßen – aber Sie sehen, meine
Krieger sind so felsentreu, daß sie auch mich nicht zu Ihnen
kommen lassen und imstande wären, mich gegen mich selbst
zu schützen.

MADAME DE SERRÉ. Sire, dieses ist der größte Tag meines Lebens
– Ich –

(Der König mit seiner Begleitung ab.)

DER ALTE MARQUIS. Sie fällt in Ohnmacht –

MADAME DE SERRÉ. O seliger Tod! Könnt' ich jetzt sterben!

CHORUS DER ALTADLIGEN EMIGRANTEN, DAMEN UND HERREN
DURCHEINANDER. O welch ein Monarch! – Welche Worte: »Ich
kenne Sie, wünschte Sie zu grüßen!« »So felsentreu, mich
gegen mich selbst zu schützen«! –– Man sollte sie in Erz
graben, – hier ein Monument errichten! – Wie groß ist er! wie
huldvoll! – O kennte ihn die Canaille! begriffe Sie diesen
Geist! diesen Adel! – Aber wir wollen sie zügeln, und will sie
nicht begreifen, so wollen wir es sie lehren!

EIN KLEINER OFENHEIZER *(kommt aus dem Winkel)*. Ihr?

MEHRERE. Wer sprach das?

DER ALTE MARQUIS. Ein kleiner Ofenheizer – da springt er mit seiner Gabel davon.

VIELE STIMMEN. Der elende Junge! – Doch der König: »Ich kenne Sie«, »felsentreu« – ungeheure Worte!

DER ALTE MARQUIS. Erholen Sie sich wieder, Madame de Serré!

MADAME DE SERRÉ. Mir ist's noch immer, als wär' ich im Himmel.

DER ALTE MARQUIS. Ich bitte sehen sie auf! Da geht der königliche Oberzeremonienmeister mit dem uralten Speiseapfe der Bourbons, mit dem Nef vorbei.

MADAME DE SERRÉ. Mit dem Nef! – O Gott, auch das Nef ist wieder da! Ja, Christus ist erstanden! jetzt erst glaub' ich es recht!

CHORUS DER ALTADLIGEN EMIGRANTEN, DAMEN UND HERREN DURCHEINANDER. Das Nef, das Nef! O Frankreich ist gerettet! *(Alle ab bis auf die Schweizergardisten.)*

EIN HAUPTMANN DER SCHWEIZERGARDE *(tritt vor)*. Rudi, du hast den König zu barsch behandelt.

DER SCHWEIZERGARDIST. Dem Kanton Luzern hab' ich geschworen, dir muß ich gehorchen, und solang du es nicht befiehlst, ist es mir eins, ob ich für oder wider dieses schnatternde Gesindel jemand totschlage.

Dritte Szene

Königliche Zimmer in den Tuilerien.

König Ludwig und die Herzogin von Angoulême kommen.

KÖNIG LUDWIG. Wo ist Berry?

HERZOGIN VON ANGOULÊME. Auf der Revue, Sire, und mein Gemahl geht ihm eben entgegen.

KÖNIG LUDWIG. Revue! Revue! ich traue den Truppen nicht; sie gehorchen uns nur aus Not, ein Teil ist feig, ein anderer falsch. Das sag' ich dir: weit lieber würd' ich in Hartwell wieder meine Kräuter und Blumen suchen, und nach Linné ihre Ordnungen bestimmen, als auf dem Thron Frankreichs sitzen.

HERZOGIN VON ANGOULÊME. Sire, der Thron von Frankreich ist dein, – du erbtest ihn, und deinen spätesten Enkeln bist du

schuldig, daß du ihn bewahrst. Gott führte dich auf ihn zurück, – versuche mit deinem Zagen Gott nicht.

KÖNIG LUDWIG. Du schmerzbeladene Tochter Frankreichs, Kind
der beiden königlichen Menschenopfer –

HERZOGIN VON ANGOULÊME. Mein Vater! mein Vater! meine
Mutter!

KÖNIG LUDWIG. – du lange Eingekerkerte, – wie kommt es, daß
gerade du, die des Schicksals Schwere am härtesten empfand,
von allen meines Stammes die Stärkste bist, bloß im Ver-
trauen auf Gott?

HERZOGIN VON ANGOULÊME. Gott? – Wo es an Menschen fehlt, da
erscheint er! – Oheim, ich lern' ihn kennen, dort in dem
Tempel, ja des Abgrundes der Revolution, doch für
mich des Lichts. – Wer so wie ich, ein zartes Kind, da im
Gefängnisse schmachtet, und bangen Ohrs die Häupter des
Vaters und der Mutter von den Schafotten rollen hört – o,
wen so wie mich dieses Paris umbraust, rebellisch, jede Straße von dem Geschrei der Mörderrotten aufdonnernd, knir-
schend unter den Rädern der ewig auf- und abziehenden
Henkerkarren, – wer selbst eine Capet, Tag und Nacht nichts
als »Capet, Capet nieder« rufen hört, – wem, wie mir, die
letzten Sterne sinken, und wer dann im unermeßlichen Dunkel gar nichts mehr fühlt, als das Zittern des eignen kleinen
Herzens, – dem nahe Gott, wie mir! – Er ist der letzte, einzige, aber größte Trost. Mir nahte er, und ich ward stark und
ruhig.

KÖNIG LUDWIG. Teure Nichte, ich glaube, du sagst die Wahrheit,
und Trost sinkt in meine Brust, wenn ich fern von unseren
Diplomaten dich höre. Bei dem ersten Tritt, den ich auf die
Küsten meines Landes jüngst wieder tat, durchschauerte
auch mich das unbegreifliche, aber gewaltige Walten der
Vorsehung! – Komm an das Fenster: da breitet *Paris* sich aus!
– Welche Stürme sind nicht hingebraust durch jene Straßen?
Kein Fleckchen, das nicht von dem Blute, welches darauf
vergossen, Inschrift tragen könnte, von der Bluthochzeit bis
zu der Guillotine. Ungeachtet all des Scherzes, all des Schim-
mers, die hier gaukeln, weht es mich an, wie Moder, wenn ich
diesen Steinhaufen sehe. – Noch keine drei Jahre und dort
rückten mit Siegesklängen, mit feueratmenden Geschützen,
Pferd an Pferd gedrängt, und Bajonett an Bajonett, dicht

wie Blätter und Ähren im Frühling, die Weltbezwinger stolzen Zuges von Spanien nach Moskau. Und mit seinem ruhmestrunkenen, nie gesättigten Auge sah Er in ihnen nur die
Zeichen seiner Allmacht. Die mächtigen Parlamente Englands wurden bang und flüsterten wie Haufen furchtsamer
Vögel, – wollten Frieden machen, er möge kosten, was er
wolle, auch wenn sie an mir das heilige Gastrecht verletzen,
mich aus ihrem Reiche weisen sollten. – Und nun! – Die
Schlachtendonner sind verklungen, – Europa ist still, – wo die
Adler raseten, blühen wieder friedlich die drei Lilien, und Er,
der Große, ward ein armer Einsiedler von Elba, starrt vielleicht grade jetzt in das Meer, und erkennt in ihm das Element, welches er nie besiegen konnte, und das ihm, ein Spiegel, groß wie Er selbst, höhnisch sein Antlitz zurückwirft.

HERZOGIN VON ANGOULÊME. König, nenn' ihn gewaltig, riesenhaft, ungeheuer, – doch nimmermehr groß den Mörder
d'Enghiens, – nun und nimmer der groß, welcher Treue,
Recht, Ehr' und Liebe dem Ruhm und der Macht aufopfert.
Das kann auch der Dämon der Hölle. Die wahre Größe gibt
Ruhm, Macht, jeden Außenschein für Ehre, Recht und inneres Glück dahin – Er aber tat das nie – Oh, ich kenne ihn –
dieser Kaisertiger hätte sich vor seinem Feinde, den er mit
den Klauen nicht erreichen konnte, zum Wurm verwandelt,
sich um ihn treten lassen, wenn er nur wußte, daß er ihm
alsdann giftig in die Ferse stechen konnte.

OBERZEREMONIENMEISTER *(tritt ein)*. Ihre königlichen Hoheiten,
der Herzog von Angoulême und der Herzog von Berry.

KÖNIG LUDWIG. Meine geliebten Neffen mögen kommen.

*(Oberzeremonienmeister ab. Herzog von Angoulême und
Herzog von Berry treten ein.)*

HERZOG VON BERRY. Sire, Sire, ich flehe, schonen Sie nicht mehr
die Canaille, das Volk!

HERZOG VON ANGOULÊME. Ja, Sire, es wird zu arg.

KÖNIG LUDWIG. Was ist geschehen?

HERZOG VON ANGOULÊME. Gemahl, es ist doch kein Blut geflossen?

HERZOG VON ANGOULÊME. Nein, Gemahlin.

HERZOGIN VON ANGOULÊME. Also wieder Kindereien, mit denen
ihr den Oheim belästigt.

HERZOG VON ANGOULÊME. Vielleicht.

HERZOG VON BERRY. Sire, ich komme von dem Palais Royal.
Dort seh' ich einen Lump, den ich an seinen Narben, oder,
wie man es nennen sollte, an den Brandmalen aus den
Schlachten des korsischen Rebellen, als einen seiner Söldner
erkannte. Ich trat dem Kerl höflich entgegen, redete ihn
freundlich an, und wähnte, ihn dadurch wieder auf den rechten Weg zu führen, und dem Volke zu zeigen, wie gütig ein
Bourbon ist. Der Schurke beantwortete meine wohlgemein-
testen Anträge mit nichts als Grobheiten, und als ich zuletzt
rief »Es lebe der König«, schwieg er, und der Pöbel mit ihm. –
Das kann kein königlicher Prinz länger verbeißen, Sire, er
müßte denn Elefantenzähne haben. Ich habe es noch einmal
getan, um Ihrem Wunsche zu folgen, – aber, Sire, ich bürge
nicht so weit für mein Temperament, daß ich versichern
könnte, es auch künftig zu tun.

HERZOG VON ANGOULÊME. Und, Sire, wie mir Bruder Berry
erzählt, ist der Orléans vorher am nämlichen Orte, wo Berry
mit Soldaten gesprochen, vorbeigekommen, und alles Volk
hat ihm ein Lebehoch zugerufen.

HERZOG VON BERRY. Ja, und noch mehr. Sie nannten ihn: »einst
König«. Nun der Einst-König hüte sich vor uns und vor Ihnen, Sire, wenn er konspirieren sollte, und ich glaube, er tut
es.

HERZOGIN VON ANGOULÊME. Das wäre kein Wunder, Freund.
Das Haus der Orléans wimmelte stets von Mördern der Bourbons. Sie wollen die ersten in dem Geschlecht sein, wo sie nur
die zweiten sind. Vergiftete der Regent nicht die Nachkom-
menschaft des großen Ludwigs? Brachte der sogenannte Ega-
lité nicht meinen Vater auf das Schafott?

HERZOG VON ANGOULÊME. Doch der jetzige Orléans, Gemahlin,
ist besser als seine Vorfahren.

HERZOGIN VON ANGOULÊME. Er ist – ein Orléans.

HERZOG VON ANGOULÊME. Und das –?

HERZOGIN VON ANGOULÊME. Sagt alles. Jeder artet nach dem
Geschlecht, aus dem er entsprossen. Zeige mir in Bonapartes
Blut ein Tröpfchen von dem ewigen Adelssinn der Mont-
morencys! Er war stets ein gemeiner Korse.

KÖNIG LUDWIG. Ein durch Jahrhunderte geheiligter Name ist der
leuchtendste Wegweiser für den Enkel. Aber es gibt Ausnah-
men, und wahrlich! der einst so unbekannte Korse schmückte

mein Land mit einem Ruhmeskranze, wie er kein anderes
Reich dieser Erde ziert, und ich bin ihm dafür dankbar.

HERZOGIN VON ANGOULÊME. Ja, Sire, Er schmückte oder be-
fleckte es mit einem Ruhmeskranze, wie kein anderes Land
ihn besitzt. Kennst du die Blätter daran? Sie triefen blutrot,
wie Schlachtfelder, und werden fallen, wie die gelben Herbst-
blätter. – Oh, lob' ihn wie du willst, er war kleiner als sein
Glück, und darum verließ es ihn.

KÖNIG LUDWIG. Er lebt noch, Beste. – Wenn er es wieder er-
griffe?

HERZOG VON BERRY. So schlüg' ich ihm auf die Hand. Die Haustruppen, welche ich befehlige, sind auch tapfere Franzosen,
noch dazu von echten Edelleuten kommandiert, und seinen
Abenteurern mehr als gewachsen.

KÖNIG LUDWIG. Ich habe Nachrichten. Er soll oft an Elbas nörd-
lichem Ufer stehen, und nach Frankreich schauen – Seine
Blicke bedeuteten selten Heil.

HERZOG VON BERRY. Die Blicke des armen Teufels? Des Toren,
dem sein gutes Los den Mund so voll warf, daß er alles wieder
ausspeien mußte? Dessen, der jetzt als eine lebendige
Schandsäule auf seiner Insel umherwandelt? Dessen, den ich,
wenn ich damals erwachsen gewesen wäre, mit zwanzigtausend Mann treuer Soldaten mitten in seiner Glorie leicht hätte nach Vincennes führen wollen?

HERZOGIN VON ANGOULÊME. Wo aber waren die zwanzigtausend
treuen Soldaten?

OBERZEREMONIENMEISTER *(tritt ein)*. Der Kanzler und der Minister des Hauses harren draußen.

KÖNIG LUDWIG. Ach, d'Ambray und Blacas. Laß sie eintreten.
*(Oberzeremonienmeister ab. Graf Blacas d'Aulps und d'Am-
bray treten ein.)*
Jetzt, Neffe Berry, frage diese erfahrenen Geschäftsmänner,
ob unser Reich noch das alte ist, und wir den Korsen nicht zu
fürchten brauchen?

GRAF BLACAS D'AULPS. Das Reich ist das alte, Sire, und wir brauchen ihn nicht zu fürchten, so gewiß ich hier meinen alten
Degen trage.

D'AMBRAY. Sire, es ist so, wie mein Kollege sagt. Die Nation
liebt und verehrt die königliche Familie grenzenlos, – jeder-
mann sehnt sich nach der Verfassung, wie sie etwa 1786 noch

makellos in reiner Glorie prangte, – keine Stunde, wo ich
nicht Briefe von Präfekten, Generalen, Maires erhielte, die
diesen Wunsch nicht aussprächen, – nur ein paar Schwindel-
köpfe, besser für das Irren- als für das Zuchthaus, wagen
anders zu denken. Die Gensd'armerie wird auch ihnen Vernunft beibringen.

HERZOGIN VON ANGOULÊME. Herr d'Ambray, wenn Sie nicht
zuerst wieder die alte Achtung für Religion, für die angebore-
nen Herrscher, für die gesetzlichen Ordnungen herstellen,
hilft Ihnen keine Gensd'armerie.

D'AMBRAY. Und, königliche Hoheit, wer sonst würde alles das
herstellen?

HERZOGIN VON ANGOULÊME. Die, welche die Herzen beherrschen, sie auf dem Schafott beseligen, – die tüchtigen Geistli-
chen, und vor allen die vom Neide so oft verleumdeten Väter
Jesu. – Sire, führe sie wieder ein.

KÖNIG LUDWIG. Wieder! wieder! Nichte, das Wort ist nur zu sehr
in der Mode! – Verwechsle mir auch nicht die Diener des
Herrn mit dem Herrn selbst.

HERZOGIN VON ANGOULÊME. König und Mensch, fühle deine
Schwäche – Wie wolltest du den Herrn kennen lernen, ohne
die auserwählten Diener, die dich zu ihm führen?

D'AMBRAY. Sire, das »wieder« möchte bis jetzt eher zu wenig,
als zu sehr Mode sein – Die Revolution riß frech ein, lassen
Sie uns kühn wieder aufbauen. Warum nicht auch die Kolle-
gien der Jesuiten? Sire, die werden die heiligsten und feste-
sten Grundlagen Ihres Thrones bilden. Und dann lassen Sie
uns in den Reihen unserer Braven bis auf den gemeinsten
Tambour, alle die ausmerzen, welche dem Adler des Korsen
folgten, – weg mit den etwa noch existierenden Pensionen
seiner Offiziere, – wenn wir die Summen auch nur an loyale
Präfekten und Maires verwenden, sind sie besser benutzt als
jetzt, – solange dieses Kriegsvolk nicht darbt, solange trotzt
es.

BLACAS D'AULPS. Sire, und nehmen Sie den verruchten Käufern
der Nationalgüter, welche Sie, den Adel, die Kirche und uns
alle beraubt, – die Sie selbst in Hartwell so oft Räuber genannt haben, die Beute wieder ab, – das Gesindel verwendet
sie nur, daß es Feuer unter dem Thron anlegt.

KÖNIG LUDWIG. Mein lieber Blacas und d'Ambray, ihr habt

Recht. Doch auch das Recht will mit Klugheit ausgeübt sein. Greifen wir die Nationalgüter voreilig an, so erregen wir einen Aufstand, den wir ein paar Jahre später vermeiden konnten. – Was meinst du, Angoulême?

HERZOG VON ANGOULÊME. Sire, ich denke, wie meine Gemahlin – Ich sehe und sehe schon lange, – da auf dem Dache sitzt ein wunderschöner Tauberich – könnte man ihn fangen! –

D'AMBRAY. Das öffentliche Recht, Sire, will allerdings mit Politik gehandhabt sein. Aber das eigne bürgerliche Gesetz der Revolutionäre und Bonapartisten, ihr Code Napoléon, spricht gegen usurpierten Besitz.

BLACAS D'AULPS. Und spricht das Gesetz nicht so, dann kehren wir es um. Für elende *Assignaten* erschacherten die Plebejer unsere Ländereien!

HERZOGIN VON ANGOULÊME. Assignaten! Nenne sie nicht elend! Ich sah die zitternden Hände, welche sie bei Lebensstrafe, für ihr Geld annehmen mußten. Die Assignaten waren mit *Königsblut* geschrieben, Blacas.

KÖNIG LUDWIG. Meine Herren, ich ergreife den Mittelweg. –

BLACAS D'AULPS. Der Mittelweg ist oft doppelt gefährlich.

KÖNIG LUDWIG. Hier nicht. Es sollen fürerst nur Worte vom Thron fallen, die den Nationalgutkäufern andeuten, wie sie für billigen Ersatz ihr Besitztum an dessen Herren zurückliefern können.

HERZOGIN VON ANGOULÊME. Oheim, du bist zu liberal.

D'AMBRAY UND BLACAS D'AULPS. Wir möchten dasselbe sagen.

KÖNIG LUDWIG. Der König selbst zu liberal?

HERZOGIN VON ANGOULÊME. Ja, Sire, und deshalb, weil er sich zu stark hält, als daß er glaubte, das Ungeheuer des Liberalismus fürchten zu müssen.

DER OBERZEREMONIENMEISTER *(tritt ein)*. Sire, der Brief einer Estaffette von Lyon.

KÖNIG LUDWIG. Gut – ich will ihn lesen.

(Oberzeremonienmeister ab.)

KÖNIG LUDWIG *(während er den Brief liest)*. – Nachrichten von neuen Verschwörungen. Eine Gesellschaft der eisernen Nadel, die den Bonaparte wieder auf den Thron setzen will, ist entdeckt.

D'AMBRAY. Der Korse muß fort vom nahen Elba, auf eine abge-

legene Insel, weit weg, zum Beispiel nach St-Helena oder St-
Lucie.

KÖNIG LUDWIG. Nicht übel wäre das für uns und auch für ihn. Ich
merk' es allgemach auch. – Wir wollen bei Talleyrand in Wien
anfragen, ob und wie es mit Einwilligung der fremden Monarchen möglich zu machen ist.

D'AMBRAY. Der Talleyrand saß auch in der Nationalversammlung!

BLACAS D'AULPS. Nun, er ist doch aus einem altadligen Geschlecht und zurückgekommen zu seiner Pflicht.

KÖNIG LUDWIG. Wo ist Monsieur? Ich wünsch' ihn in dieser
Angelegenheit zu befragen.

BLACAS D'AULPS. Se. königliche Hoheit erholen sich von den
Wunden, welche Ihnen der Schmerz über die Nachricht des
Todes Ihres treuen Dieners Bussy geschlagen hat, in der eben
aufblühenden Natur auf einer Jagd im Forste von Fontainebleau.

KÖNIG LUDWIG. So will ich ihn nicht stören.

HERZOGIN VON ANGOULÊME. Gemahl, der König geht – Laß uns
folgen.

HERZOG VON ANGOULÊME. Wie du befiehlst. – Der Tauberich,
der Tauberich da oben – Welch einen Kropf hat er – Und
siehe die allerliebsten Täubchen, die ihn umflattern – Ich
hätt' ihn längst totgeschossen, aber ich muß ihn lebendig haben. Unser Houdet soll ihn fangen.

HERZOGIN VON ANGOULÊME. Hast du von den neuen Verschwörungen gehört?

HERZOG VON ANGOULÊME. Das alberne Zeug. Laß uns nicht
daran denken.

HERZOGIN VON ANGOULÊME. Ach!

(Alle entfernen sich.)

Vierte Szene

Nördliches Gestade von Elba, nicht weit von Porto Ferrajo.

Anbrechender Abend. Napoleon steht am Ufer, Bertrand neben ihm, – eine Ordonnanz von der polnischen Legion hält zu Pferde in der Nähe.

NAPOLEON. Bertrand, dies ist ein herrlicher Platz – Ich lieb' ihn abends – da das Meer, der Spiegel der Sternenwelt, hinbrausend nach den Küsten von – Ach – Der Bergwerksdirektor zu Porto Ferrajo ist abgesetzt. Er hat betrogen.

BERTRAND. Ew. Majestät, der Mann war doch –

NAPOLEON. Ich hab' es gesagt – – Pole in Gedanken? Wo denkst du hin?

DER POLNISCHE LEGIONSREITER. Wegreiten möcht' ich über das Meer, nach Marseille, Paris, und zuletzt nach meinem Vaterlande, aber nimmer ohne dich, mein Feldherr und mein Vater.

NAPOLEON. Ein Schiff erscheint da – Welche Flagge führt es?

BERTRAND. Man kann sie nicht erkennen. Vermutlich ein französischer Levantefahrer, der von Marseille kommt.

NAPOLEON. Der Glückliche! er war an den Küsten Frankreichs. – Ob man im schönen Frankreich noch meiner gedenkt?

BERTRAND. Kaiser? Du fragst? – Solange die Sonne in die Prachtfenster der Paläste und in die schmalen Glasscheiben der Hütten funkelt, wird man deiner gedenken, oder Frankreich verdiente unterzugehen.

NAPOLEON. Möglich. Aber die Leute sind vergeßlich – Der Marmont, Augereau –

BERTRAND. Die Verräter!

NAPOLEON. Ha! statt an Taten zehrt man jetzt an Erinnerungen! Zuckte nicht einst das stolze Österreich, wie ein Wurm in dieser Hand? Nicht Preußen? Ließ ich sie beide nicht leben und bestehen? – Wie undankbar die Welt, das elende, schlechte Scheusal! – Mein eigner Schwiegervater –

BERTRAND. Verzeih' ihm, – er wurde es, weil du befahlst – Als er nicht mehr zu gehorchen brauchte, zerriß er die Bande –

NAPOLEON. Bande – sage, das Herz seiner Tochter.

BERTRAND. Was kümmert das den Stolz und die Politik der alten Herrschergeschlechter?

NAPOLEON. Die Toren! Sie sehnen sich noch einst nach dieser
   kleinen Hand, wenn sie längst Asche ist, denn *Ich, Ich* bin es,
   der sie gerettet hat – Ließ ich den empörten Wogen der Revolution ihren Lauf, dämmt' ich sie nicht in ihre Ufer zurück, –
   schwang ich nicht Schwert und Szepter, statt das Beil der
   Guillotine immer weiter stürzen zu lassen, – wahrhaftig, wie
   dort am Strande die Muscheln, wären all die morschen Thro-
   ne, samt den Amphibien, die darin vegetieren, hinwegge-
   schwemmt, und schöner als jenes Abendrot begrüßten wir
   vielleicht die Aurora einer jungen Zeit. – Ich hielt mich zu
   stark, und hoffte sie selbst schaffen zu können. – O ich muß
   sprechen, denn ich vermag ja jetzt nicht anders. Diese Schol-
   le Elba kenn' ich nun auch und habe sie satt. Ein bißchen
   Dreck! – Wie jämmerlich ein kleiner Fürst, der nicht drein-
   schlagen kann –
BERTRAND. Werde wieder ein großer.
NAPOLEON. Ist die Canaille es wert? Ist sie nicht zu klein, um
   Größe zu fassen? Weil sie so niedrig war, ward ich so riesenhaft.
BERTRAND. Du warst mehr als die Welt.
NAPOLEON. Und jetzt! Bertrand, welch ein Ende! Hier hinge-
   schmiedet, ein anderer Prometheus, den Geier im Herzen.
   Hingeschmiedet, nicht von der Kraft und Gewalt, sondern
   von der Überzahl der Schwachen und Elenden – Sohn, Mut-
   ter, von mir gerissen – Täte man das einem Bauer?
BERTRAND. Erderschütterer, den Bauer fürchtet man nicht.
NAPOLEON. Hat Rußlands Alexander so ganz vergessen, wie er
   auf dem Niemen sich beugte? Hat der Preußenkönig –
BERTRAND. O Sire, den tadle nicht. Er verlor durch deine
   Schlachten die schönste Rose im Schnee des Nordlands. Ich
   habe sie erblickt und das Auge ward mir feucht, als ich ihren
   Tod erfuhr.
NAPOLEON. Konnt' ich davor? – Weswegen blühte sie im Gleise
   meines Siegeswagens? Das Geschick trieb seine Räder zer-
   malmend über noch viel härtere Herzen: Pichegru, d'Enghien, Moreau –
BERTRAND. Du, selbst so Gewaltiger, glaubst ein Geschick?
NAPOLEON. Ja, es stand bei mir in Korsika, meiner meerumbrau-
   sten Wiege, und wird auch meinen Sarg umbrausen. In Mos-
   kaus Flammen, nachdem ich lange es vergessen, sah ich es mit

seinen Fittichen sich wieder über mich erheben. – Nicht Völker oder Krieger haben mich bezwungen – Das Schicksal war es. – Was ist dir?

BERTRAND. Mein Kaiser, vielleicht – kaum wag' ich es zu sagen –

NAPOLEON. Sag' es!

BERTRAND. – vielleicht mein Freund –

NAPOLEON. Es könnte sein. Doch glaubst du es, so schweige davon.

BERTRAND. – ich kann es nicht ertragen, dich so zu sehen, wie jetzt, einen –

NAPOLEON. Nun?

BERTRAND. – einen Löwen im Käfig. – Auch meine Gemahlin härmt sich ab. Ihre Schönheit, ihre Heiterkeit schwinden dahin seit deinem Fall.

NAPOLEON. Ich weiß. – Wie steht's wohl in Frankreich?

BERTRAND. Schlecht, Sire. Der König schwach, die Prinzen übermütig, die Ultras siegend, deine alten Krieger verhöhnt –

NAPOLEON. O mein Land, mein Land! – Man sage, was man will, ich hab' es stets geliebt! – Fühlten meine Feinde den Schmerz, der mich seinetwillen durchbrennt, – die Jämmerlinge stürben daran, wie Mücken am Lichte!

BERTRAND. Es ist gestern ein Offizier aus Frankreich angekommen.

NAPOLEON. Aus Frankreich? Er komme. – Aber bemerkte ihn keiner der fremden Späher?

BERTRAND. Nein, – er schlich als italienischer Matrose verkleidet bis zu uns.

NAPOLEON. Wie heißt er?

BERTRAND. Graf St-P–le.

NAPOLEON. Von dem hört' ich früher. – Er focht brav bei Champeaubert.

BERTRAND. Da ist er, Sire.

(Der Offizier tritt vor.)

NAPOLEON. Wer sind Sie?

DER OFFIZIER. Graf St-P–le, Ew. Majestät.

NAPOLEON. Was wollen Sie hier?

DER OFFIZIER. Ewr. Majestät dienen.

NAPOLEON. Geht nicht, mein Herr. Habe schon Offiziere genug. Ich kann Sie nicht besolden.

DER OFFIZIER. Sold verlang' ich nicht.

NAPOLEON. So? – Haben Sie Briefe?

DER OFFIZIER. Nein, Sire.

NAPOLEON. Adieu.

DER OFFIZIER. Sire, Briefe mitzunehmen, war gefährlich. Aber ich redete mit Fouché.

NAPOLEON. Fouché – Was sagte er? Sagen Sie es mir, – gleich und heimlich.

(Der Offizier spricht heimlich mit ihm.)

Es ist gut. – Wie ist's mit den Bourbons? Mir zahlen sie meine Gelder nicht. Ich könnte ihnen, als souveräner Fürst von Elba, Krieg erklären, wegen gebrochenen Vertrags.

DER OFFIZIER. Der König übersetzt den Horaz, Monsieur geht auf die Jagd, die Angoulême betet, ihr Mann hört zu, Berry liebt die Damen.

NAPOLEON. Das Volk?

DER OFFIZIER. Ärgert sich, daß Pfaffen, Betschwestern und emigrierte Edelleute es beherrschen sollen.

NAPOLEON. Das unselige Bourbonische Haus! Es wird noch einst in einem adligen Nonnenkloster aussterben. – Das Heer?

DER OFFIZIER. Es schweigt.

NAPOLEON. Und denkt?

DER OFFIZIER. An Sie!

NAPOLEON. Die Bourbons haben Haustruppen, rote Compagnien?

DER OFFIZIER. Die Haustruppen sind Greise oder Kinder. An den roten Compagnien ist nichts Rotes als ihre Montur, – bei Marengo oder Austerlitz wurden sie wahrlich nicht rot gefärbt.

NAPOLEON. Die gefangenen Veteranen der großen Armee?

DER OFFIZIER. Kommen täglich aus Rußland zurück –

NAPOLEON. Ha, wieder da!

DER OFFIZIER. – und werden ohne Pension verabschiedet, oder mit halber Pension, die nicht bezahlt wird, entlassen –

NAPOLEON. Besser, besser stets und besser! Hätt' ich den treuesten meiner Freunde nach Paris geschickt, mein Reich zu verwalten, er hätte nicht so gut für mein Interesse gesorgt, als die Bourbons! – O meine Gardegrenadiere, wandelnde Festungswälle mir in der offnen Schlacht, und alle, alle, die ihr Bajonette für mich aufpflanztet, Säbel für mich schwanget,

bald sonn' ich mich wieder in eurem Waffenglanze, und das
Gleichgewicht Europas fliegt bebend aus den Angeln!

BERTRAND. Kaiser, endlich?

NAPOLEON. Gleichgewicht! Als ob man Völker abwägen und
zählen könnte! Die Erde ist am glücklichsten, wenn das größte Volk das herrschendste ist, stark genug überall sich und
seine Gesetze zu erhalten, und wer ist größer, als meine Franzosen? – Kongreß zu Wien! Da streiten sie sich um den Mantel des Herrn, den sie hier am Kreuze wähnen – mein Polen,
mein Sachsen wird zerteilt, – niemand wird von dem halben
Bissen satt, ja, er wird Gift im Munde – Aber der Herr er-
stand! – – Europa, der kindisch gewordene Greis bedarf der
Zuchtrute, und was meinen Sie, St-P–le, wer könnte sie besser schwingen, als Ich?

BERTRAND. Der Prinz von Messeriano fordert Elba als sein
Eigentum zurück.

NAPOLEON. Der Knabe!

BERTRAND. Auch spricht man davon, dich nach St-Helena zu
versetzen.

NAPOLEON. Wie? wenn es mir nun gefiele, den Fuß nach Frankreich zu setzen? Nicht zwei Tage und ich bin dort.

DER OFFIZIER. O Sire, Sire, dahin! Sie nur können es erlösen!

NAPOLEON. Man denkt mit mir zu spaßen. Es ist zum Totlachen!
– Meine Herren, wird nicht, sowie ich bei Toulon lande, der
weltbekannte Klang meiner Kriegstrompete wie ein Blitz
durch alle Busen schmettern? Wird mein Adler nicht im Augenblick von Turm zu Turm bis St-Denis hinfliegen?

BERTRAND UND DER OFFIZIER. O lande, lande!

NAPOLEON. Graf St-P–le, wer sendet Sie? Verschworene wider
die Bourbons?

DER OFFIZIER. Sire, nein. Die Nation ruft Sie.

NAPOLEON. Das wollt' ich – Verschworene sind immer Schurken,
die nur ein Werkzeug für ihre Pläne suchen, welches sie nachher gerne wegwerfen.

DER OFFIZIER. Auch Italien, aus dem ich eben komme, ist voll
Unruhe. Selbst der König von Neapel bereut seinen Abfall.

NAPOLEON. Ich weiß – Er wird vernünftig aus Not. Der und der
Bernadotte – Bernadotte, welcher vom nahen Rußland alles,
vom fernen Frankreich nichts zu fürchten hatte, der seine
Schildwache, wenn er mit mir hielt, dicht unter den Fenstern

des Zarenschlosses zu Petersburg aufstellen konnte, sind un-
treu geworden, – Murat aus Tollheit, und Bernadotte aus
Eifersucht auf mich – – Die Armen! Mit mir ging die Sonne
unter, die diese Planeten im Schwunge erhielt – Nicht drei
Jahre und Europas Fürstenhäuser schämen sich der unadli-
gen, bloß von meiner Größe ausgebrüteten Fliegen! – Wo ist
Cambronne?

BERTRAND. Hält dicht hinter uns, bei dem dich begleitenden
Detachement der Ulanen.

NAPOLEON. Pole, ruf den Commandeur der Garde!

DER POLNISCHE LEGIONSREITER. Ha! Gleich! *(Reitet fort und
kommt bald darauf mit Cambronne zurück.)*

NAPOLEON. General, sind die Magazine versorgt?

CAMBRONNE. Sire, wie Sie geboten.

NAPOLEON. Teilen Sie an jeden Infanteristen und jeden Reiter
Rationen auf vier Tage aus. – Sind die Brigg und die beiden in
Beschlag genommenen Kauffahrer imstande, morgen mit
den Truppen abzusegeln?

CAMBRONNE. Ja, Sire.

BERTRAND *(halb für sich)*. Was wird das?

NAPOLEON. Cambronne, morgen früh fünf Uhr lassen Sie die
Reveille schlagen.

CAMBRONNE. Welche? die alte oder die neue?

NAPOLEON. Die von Jena!

CAMBRONNE. Oh, so stampft binnen sechs Wochen das Pferd
jenes Reiters auf dem Pflaster von Paris.

DER POLNISCHE LEGIONSREITER. Es bäumt sich schon, General.

NAPOLEON. Es stampft da früher: am 20. März, dem Geburtstage
meines Sohns.

BERTRAND. Campbell aber mit dem englischen Geschwader?

NAPOLEON. Hindert uns nicht. Ich hab' ihn nach Livorno locken
lassen, dort die Merkwürdigkeiten zu beschen, und heut'
abend zecht er daselbst Madeira mit einigen seiner Landsleu-
te, die nicht wissen, wie sie verleitet sind, ihn einladen zu
lassen, sowenig als er weiß, warum er eigentlich eingeladen
ist – O das Gepack!

DER OFFIZIER. Also da, der ersehnte, der große Augenblick!

ALLE ANWESENDEN. Es lebe der Kaiser!

BERTRAND *(zu dem Offizier)*. Wie viel haben wir gesprochen, Er
Selbst mit, und Er hat alles getan, ehe wir sprachen.

DER OFFIZIER. Er ist groß und gütig – ist ein Gott.

NAPOLEON *(gegen das Meer gewendet).* Amphitrite, gewaltige, blauäugige Jungfrau, – schon lange läßt du mich umsonst um dich buhlen, – ich soll dir schmeicheln, und ich möchte doch lieber als Mann mit Waffen dich den Händen der Krämer entringen, die dich, o Göttin, mit der Elle messen und zur Sklavin machen wollen, – aber ich weiß, du liebst ihn doch, den Sohn der Revolution, – einst vergaßest du deine Launen und trugst ihn mit sichren Armen von den Pyramiden nach dem kleinen Glockenturm von Fréjus, – morgen trägst du mich von Elba noch einmal dahin. – Amphitrite, schlummre süß.

(Alle ab.)

Zweiter Aufzug

Erste Szene

Paris im Jardin des Plantes.
Ein alter Gärtner und seine Nichte treten auf.

DER ALTE GÄRTNER. Nicht so wild Kind, nicht gesprungen, – hier ging einst Buffon sehr ruhig und ordnete sein System.

DIE NICHTE. Onkel, Onkel, welch ein Morgen! Wie durchschimmert ihn die Frühlingssonne! Eintrinken möcht' ich ihn!

DER ALTE GÄRTNER. Du Wilde, sieh nach den Bäumen – Haben Weide und Kastanie schon Knospen?

DIE NICHTE. Ja! alle, alle, und die Silberpappeln knospen dazu – Oh,

Ça ira, ça ira.

DER ALTE GÄRTNER. Nichte, das sag' ich dir ernstlich, tu' was du willst, aber singe mir keine politischen Lieder.

DIE NICHTE. Ça ira? politisch? Ich meinte, bald geht's los, und die Blumen brechen aus.

DER ALTE GÄRTNER. Wir können die Fenster von den Beeten nehmen – Ah, wie richten sich schon die Gräser auf. Hier Phalaris canariensis

DIE NICHTE. Welch ein weitläuftiger Name für ein so kleines, zierliches Ding. – Man möchte die Gräschen ausreißen und küssen, so allerliebst stehen sie da.

DER ALTE GÄRTNER. Die Kanone der Sternwarte donnert schon die zehnte Stunde an. Wir müssen fleißig sein, wollen wir vor Mittag noch etwas beschicken.

DIE NICHTE. Etwas beschicken? – Das überlaß heute den Leuten ringsum in der staubigen Stadt – Wir wollen hier das frische Grün genießen. – – Die schöne Kokosblüte in jenem Gewächshause nehm' ich mir zum Stickmuster.

DER ALTE GÄRTNER. Stickmuster, ja – Seit einem Jahre denkst du bei jeder Blume an Putz, Stickmuster und den unseligen Pierre. Ich glaube, du hingest ihm den ganzen Gartenflor um den Hals, deines Onkels Herz dazu.

DIE NICHTE. Mein Herz gern, deines nicht, Onkel. In deiner Brust, die für meine Mutter und mich so treu sorgte, säß'

es doch besser als an seinem Halse. – Aber, wahr ist wahr,
und schön ist schön, und gut ist gut: wahr, schön und gut ist
er.

DER ALTE GÄRTNER. Er stört mich hier, und der Oberintendant
des Gartens hat es schon übel genommen, daß ich ihn einlas-
se. Er ist ein Bonapartist oder gar ein Revolutionär. –

DIE NICHTE. Wäre Pierre das (ich weiß wahrhaftig nicht, ob er
es ist, denn auf sein politisches Geschwatz acht' ich so wenig
wie der schlafende Müller auf das rauschende Rad), so müßten die Bonapartisten und Revolutionäre herrliche Leute
sein.

DER ALTE GÄRTNER. Kind, Kind, ehre mir die Bourbons, unsere
Herren.

DIE NICHTE. Vor einem Jahre mußt' ich ja das erste Kapitel des
kaiserlichen Katechismus auswendig lernen, und Napoleon
anbeten. Weißt du, wie du mir drohtest, als ich bei dem Auf-
sagen stotterte?

DER ALTE GÄRTNER. Vor einem Jahre, Kind! – Jetzt schreiben
wir 1815.

DIE NICHTE. So – 1814 und 1815, das ist der Unterschied, – Es
geht wohl mit den Herrschern, wie mit den Blumen, – jedes
Jahr neue. – Ach, sieh' da meine wieder grünende Ulme!

DER ALTE GÄRTNER. Der König Ludwig der Achtzehnte gibt mir
mein Brot, – und da kommt der verwünschte Pierre mit Damen –

DIE NICHTE. Damen? Was? Ha, der –

DER ALTE GÄRTNER. Damen der Halle.

DIE NICHTE. So – die machen mich nicht eifersüchtig.
(Pierre und Damen der Halle.)

PIERRE. Elise, meine Elise! – Und alle Lilien ausgerottet, mein
Vater!

DER ALTE GÄRTNER. Warum?

PIERRE. Der König wird fortgejagt, – Napoleon kommt wieder.

DIE DAMEN DER HALLE. Die Lilien weg! Die Lilien weg!

DER ALTE GÄRTNER. Stille, stille – Vor dem Garten stehen Gens-
d'armes, die dieses hören möchten.

DIE DAMEN DER HALLE. Weg Gensd'armes und Lilien!

DER ALTE GÄRTNER. Meine Damen verwechseln sie nicht das
Reich der Natur mit dem Reiche der Bourbons, nicht blühen-
de Lilien mit gemalten.

Die Damen der Halle. Gut gesagt!

Der alte Gärtner. Bedenken Sie, daß dort die Büste Linnés steht. Auch Buff –

Eine Dame der Halle. Linné, was war der?

Eine andere. Ein herrlicher Mann, Madame. Erst Schusterjunge in Lyon, dann Fürst von Pommern, Schweden und den Haidschnucken, und immer dabei ein eifriger Republikaner und Beschützer des botanischen Gartens.

Die Damen der Halle. Behalte deine Blumen, Gärtner. Hoch lebe der Fürst Linné! *(Die Damen der Halle ab.)*

Der alte Gärtner. Mir wirbelt der Kopf: – Linné ein Schusterjunge, dann Fürst, Republikaner, und das alles so sicher gesagt. – Ich will sie eines Besseren belehren – Linné war –

Pierre. Still! – Rufe sie nicht zurück. Ich selbst mußte sie wider Willen hieherführen. Gott weiß, was ihnen einmal vom Linné in den Ohren geklungen hat, und was klingt, glauben sie, und erzählen es noch schallender wieder. – – Elise, schmollst du?

Die Nichte. Revolutionsmensch –

Pierre. Das verstehst du nicht. – Geliebte –

Die Nichte. Und das »Geliebte« verstehst *du* nicht. – Ha, da die weißen Kirschblüten – sitzen sie nicht am Baume wie junge Lämmer, die am grünen Berge klettern? – Wie schön!

Pierre. In deinem Auge blitzen sie schöner. – Napoleon soll jetzt, wie man munkelt –

Die Nichte. Folge mir unter den Kirschbaum.

Zweite Szene

Paris. Unter den Arkaden des Palais Royal.

Vieles Volk, Bürger, Offiziere, Soldaten usw., etwa wie in der ersten Szene des ersten Aufzuges.

Vitry. Bist satt, Chassecœur?

Chassecœur. Ja, von überreifen, übersüßen Kartoffeln.

Vitry. Sollen wir zur Seelenmesse, welche die Madame über den Gebeinen ihres Vaters halten läßt?

Chassecœur. Lieber zur Hölle. – Madame ist sehr gnädig. Wenn die Gebeine, für welche sie jetzt betet, nicht eher einem

Schreckensmann anhören, als dem längst in Kalk vermo-
derten Capet, bin ich verflucht.

VITRY. Gönn' ihr die Knochen. Fleisch ist nicht daran.

ADVOCAT DUCHESNE *(kommt)*. Was Neues!

VITRY. Das Neue ist heutzutag was Altes.

DIE ALTE PUTZHÄNDLERIN. An meinen Tisch, Herr!

VITRY. Immer die Politik am Putztische.

DUCHESNE. Wieder tolle Streiche! – Die Emigranten werden entschädigt.

VITRY. Wofür?

DUCHESNE. Dafür, daß sie zur Zeit der Not wegliefen.

VITRY. Wovon entschädigt?

DUCHESNE. Von dem Gelde und Blute der Nation.

VITRY. Chassecœur, wir wollen künftig auch weglaufen.

CHASSECŒUR. Oh!

VITRY. Alter Junge, ärgere dich nicht zu arg. Aus dem jetzigen
Spaß wird einmal wieder Ernst.

DUCHESNE. Die Ultras machen die offenbarsten Schritte, die
Konstitution umzustürzen.

VITRY. Ist sie ihnen noch nicht schlecht genug?

DUCHESNE. Die Angoulême läßt die Jesuiten zurückrufen.

VITRY. Wir jagen sie wieder fort.

DUCHESNE. In Nîmes ermordet man schon die Protestanten, und
niemand wehrt.

VITRY. Freund, daran zweifle ich: sie genießen des Schutzes
unseres legitimen Herrschers.

CHASSECŒUR. Teufel, was ist denn legitim?

VITRY. Das, was alt ist.

CHASSECŒUR. Wie alt?

VITRY. Weiß nicht genau.

SAVOYARDENKNABE *(mit dem Murmeltier und Dudelsack)*.
          La marmotte, la marmotte etc.

CHASSECŒUR. Der verdammte Junge mit seiner Bettelei. Man
kann nichts vor seinem Singsang hören.

VITRY. Laß ihn. Murmeltiere sind vermutlich legitim. Wenigstens waren sie schon unter Heinrich dem Vierten in Paris.

LOUISE. O mein Philipp!

VITRY. Bitte, Kind, nicht zu nahe, – mit Vorsicht.

LOUISE. Wie, du kennst mich nicht mehr? hast du mich nicht
geliebt?

VITRY. Kenn' ich jedes Sousstück, das mir durch die Hand gegangen ist? Ebenso wenig jedes Mädchen, das ich geliebt habe.

LOUISE. Ach, Philipp, unter den Fahnen der großen Armee schwurst du mir Treue.

VITRY. Auf wie lange?

LOUISE. Auf ewig.

VITRY. Das bedeutet seit dreißig Jahren soviel als gar nichts. Fahre wohl, Geliebte.

LOUISE. Ha, du –

VITRY. Geschwiegen, Mademoiselle, geschwiegen, sag' ich, – hier kommen Zeitungen.

DUCHESNE. Was gibt es, Zeitungsverbreiter?

ZEITUNGSAUSRUFER. Sie sprechen!

DUCHESNE. Wer?

ZEITUNGSAUSRUFER. Die beiden Felsen im Meere!

VITRY. Welche Zeit! Die Steine reden!

ZEITUNGSAUSRUFER. Carnot, Fouché – hier ihre Memoiren im Auszuge in den Zeitungen, – sie haben dem Könige die Wahrheit gesagt, ihm die Albernheiten der Restaurationsminister so deutlich vorgerückt, als wir sie uns hier sagen –

VITRY. Ach, das hilft nicht viel, denn gut sagen ist leichter als recht hören.

DUCHESNE. Her, her die Zeitungen! Ich muß sie selbst sehen!

VOLK. Wir wollen sie auch sehen! Her, her damit!

ZEITUNGSAUSRUFER. Da habt ihr sie! *(Er wirft die Zeitungen in die Luft.)*

DUCHESNE *(ergreift, wie viele andere, ein Blatt und liest).* Ha – Oh – Richtig – Juchhe – schändlich – Wie wahr – Ja, anders, anders muß es werden, – Blut und Tod! – Gut, gut. – Herrlich! – Auf Elba rührt sich's allmählich – Im Pflanzengarten ist auch Lärm gewesen – Gut, gut, je schlechter, so besser – Das Korn gibt erst Mehl, wenn es zermalmt ist – Adieu, meine Herren, – ich muß zu Freunden. *(Ab.)*

VITRY. Was ist dir? Was treibst du mit den Armen?

CHASSECŒUR. »Auf Elba rührt sich's allmählich« – Ich schwinge in Gedanken den Säbel!

VITRY. Wo ist Louise? Fort? – Nein, sieh: ein junger Engländer entführt mir ihre Reize. Wohl bekomm's, Mylord!

Dritte Szene

Paris. Tuilerien. Saal der Herzogin von Angoulême.

Die Herzogin von Angoulême, und ihre Dame d'Atour, die Gräfin von Choisy.

HERZOGIN VON ANGOULÊME. Liebe Choisy, lies mir etwas vor. Mir schmerzt der Kopf.

GRÄFIN VON CHOISY. Gern, königliche Hoheit. – Soll ich etwas neu Erschienenes lesen?

HERZOGIN VON ANGOULÊME. Tu' es. Nur keine Zeitungen. – Was das für ein öder, trüber Nachmittag ist, – selbst die heilige Messe erfreute mich nicht.

GRÄFIN VON CHOISY. Hier ist ein Gedicht vom Herrn C–n, einem der neuen Poeten.

HERZOGIN VON ANGOULÊME. Lies den Seneca oder den C–n. Mir ist's eins.

GRÄFIN VON CHOISY. Ich lese, Hoheit. *(Sie liest:)*
>»Es steht der Sultaninnen Erste
>Am Fenster ihres Marmorschlosses.
>O welche wohlgefügte Marmorquadern,
>Wie schimmern sie selbst durch die Nacht!
>O welche Rosen blühen in dem Zimmer,
>O welche Ambradüfte hauchen da!
>Doch was sind Marmorquadern, Rosen, Ambra,
>Wenn die Gestalt der Sultanin, mit
>Den prächt'gen Schultern, blendend weiß,
>Als wäre frischer Schnee darauf gefallen,
>Mit ihren Lippen, dunkelrot,
>Als wehten Flammen dir entgegen,
>Mit ihrem Liebesflüstern, wundersüß,
>Als hauchte Duft aus Edens Pforten,
>Darunter steht in ihrer Schöne!
>Die Diener und die Dienerinnen
>Erwarten knieend ihre Worte,
>Der Sultan selbst vergißt das Reichsschwert,
>Harrt in dem Hintergrunde liebeseufzend,
>Und schwelgt in ihres Nackens Anschaun.
>Sie blickt hinaus: vor ihren Augen steigt
>Das Heer der Sterne freudetrunken auf,

> Der Bosporus jauchzt auf mit seinen Wogen,
> Die große Stambul ahnet ihre Nähe
> Und bebt vor wonnigem Gefühle,
> Die Küsten Asias und Europas schmeicheln
> Zu den Sandalen ihres zarten Fußes, –
> Sie blickt zurück, – sie faßt ihr Herz –«

HERZOGIN VON ANGOULÊME. Wie sinkt die Poesie. Auch in ihr
Revolution. Was für falsche Verse!

GRÄFIN VON CHOISY. Wer hat denn den Versen das Gesetz gegeben, daß sie gerade sein müssen, wie die des Racine oder
eines anderen Klassikers?

HERZOGIN VON ANGOULÊME. Auch du eine Empörerin, Choisy? –
Die Welt ist überreif. – Lies das Ende des Gedichtes.

GRÄFIN VON CHOISY. Es ist kurz: *(Sie liest.)*
»Und sie seufzt!« –

HERZOGIN VON ANGOULÊME. Und sie seufzt – – Ja, das mag wahr
sein, ungeachtet des zu kurzen Verses.

GRÄFIN VON CHOISY. Jesus Maria, wenn Er gelandet wäre!

HERZOGIN VON ANGOULÊME. Wie kommst du auf den Gedanken?

GRÄFIN VON CHOISY. Königliche Hoheit, der Gedanke kommt
über mich.

HERZOGIN VON ANGOULÊME. Unsere Staatsmänner werden Ihn
vor der Landung zu behüten wissen. – Aber die Brust ist auch
mir überschwer. – Ich gehe zu meinem Oheim.
(Beide ab.)

Vierte Szene

Paris. Tuilerien. Die Zimmer des Königs.

*König Ludwig, der Herzog von Angoulême, der Herzog von
Berry.*

KÖNIG LUDWIG. Recht abscheulich – abscheulich, da liegen die
Broschüren von Carnot und Fouché. Beide verteidigen, jeder
auf seine eigentümliche, tückische Weise, die sogenannten
Rechte der Königsmörder und der Revolution, und beschimpfen meine Maßregeln und die meiner treuen Minister.

HERZOG VON ANGOULÊME. Ich mag die Papiere nicht anfassen.

HERZOG VON BERRY. Hängt die Kerle!

OBERZEREMONIENMEISTER *(tritt ein)*. Die Herrn Blacas d'Aulps und d'Ambray.

KÖNIG LUDWIG. Mir willkommen.

(Oberzeremonienmeister ab; Blacas d'Aulps und d'Ambray treten ein.)

D'AMBRAY. Sire, der gute Marquis von Brandenburg will Sachsen haben.

BLACAS D'AULPS. Und Rußland greift nach Polen.

KÖNIG LUDWIG. Gönnet ihnen das.

BLACAS D'AULPS. Mit Erlaubnis, Sire: mit Polen mag es so werden, aber Sachsen ist ein uraltes Haus. Wir hatten Dauphinen aus ihm.

D'AMBRAY. Und, Sire, ein Teil unseres europäischen Einflusses beruht auf der fortdauernden Zerstücktheit Deutschlands – Wir dürfen da keine Macht zu sehr anwachsen lassen. – Auch Talleyrand denkt so, und hat schon protestiert.

KÖNIG LUDWIG. Talleyrand? Ich gebe nach. – Er trifft stets das Rechte.

BLACAS D'AULPS. Zugleich warnt er vor Elba.

HERZOG VON BERRY. Elba, immer und ewig Elba! Laßt doch den Namen verbieten! – Was will denn Elba? – Wir besitzen Frankreich.

D'AMBRAY. Verzeihen Eure Königliche Hoheit: Bonaparte soll mit Murat konspirieren.

HERZOG VON BERRY. Und das?

D'AMBRAY. Ist lächerlich. Aber einige Vorsicht ist auch nicht ganz unnütz.

HERZOG VON BERRY. Lieber d'Ambray, Vorsicht! – Bei zwei simplen Glückskindern! – Murat ist ein Narr, Bonaparte nicht viel Besseres, – darum figurierten sie unter dem Pöbel einige Jahre als große Hanswürste – Gottlob, die Zeit ist vorbei.

OBERZEREMONIENMEISTER *(tritt auf)*. Seine Königliche Hoheit Monsieur.

KÖNIG LUDWIG. Er komme.

(Oberzeremonienmeister ab. Monsieur kommt.)

Woher Bruder?

MONSIEUR. Von der Jagd und der Messe. Manches Wildpret hab' ich geschossen.

König Ludwig. Wenn wir es schmausen, wollen wir der trefflichen Hand denken, die es schoß.

Monsieur. Sire, ich bin müde und kann am Abendessen nicht teilnehmen. Ich bitte, mich entfernen zu dürfen, nachdem ich Ihnen hiermit meine Aufwartung gemacht. Das Wildpret ist schon in den Küchen. –– Apropos, was fällt mir doch ein? – Ja, eben hör' ich, Bonaparte ist gelandet bei Toulon.

König Ludwig. Wie?

Monsieur. Es ist so. Der Mensch scheint durchaus sich verderben zu wollen. – Sire und Bruder, ich küsse Ihnen die Hand. – Schlafen Sie gut, meine Herren. *(Ab.)*

König Ludwig. Blacas, d'Ambray? Hörten Sie?

Blacas d'Aulps. Monsieur sagt's. Es wird wahr sein.

D'Ambray. Der Präfekt Toulons muß ihn arretieren, kurz verhören, und sofort erschießen lassen.

Herzog von Berry. Wie dumm sind die Schurken! Wagt der Kronendieb an der Küste eines Volkes zu landen, welches er jahrelang tyrannisierte, – welches gegen ihn nur erbittert, gegen uns nur dankbar ist.

König Ludwig. Ich dächte doch, Berry, du zögest deine Haustruppen zusammen.

Herzog von Berry. Wie Sie befehlen, Sire. Sollte den Verwegenen aber nicht schon irgendein Dorfmaire erwischt haben?

König Ludwig. Wohl möglich. Doch mache deine Haustruppen immerhin marschfertig.

Herzog von Angoulême. Ach, bekümmern wir uns um den Raubbold nicht.

Oberzeremonienmeister *(tritt ein).* Ihre Königliche Hoheit, die Herzogin von Angoulême.

König Ludwig. Mir sehr erwünscht.

(Oberzeremonienmeister ab. – Die Herzogin von Angoulême tritt ein.)

Herzogin von Angoulême. Mein König, ich kann nicht eher schlafen, als bis ich deine Hand geküßt.

König Ludwig. Mein Bruder hat heute viel Wildpret geschossen. Ich lade dich und die Prinzen zum Mahl.

Herzogin von Angoulême. Wo ist Monsieur?

König Ludwig. Wohl schon zu Bett. Er war ermüdet.

Herzogin von Angoulême. Darf ich mich mit meinem Gemahl über eine Kleinigkeit –

HERZOG VON ANGOULÊME. Den Tauberich, Gemahlin, hat Houdet erwischt!

HERZOGIN VON ANGOULÊME. – unterhalten?

KÖNIG LUDWIG. Weshalb nicht? – Doch erst noch eins: Bonaparte ist bei Toulon gelandet.

HERZOGIN VON ANGOULÊME. Schütze mich der Heiland! Die Ahnung der Choisy! Gelandet! – Großer Gott, wer litt das? – Und ihr steht hier ruhig, König, Angoulême, Berry, Blacas, d'Ambray? Seid ihr Bildsäulen?

KÖNIG LUDWIG. Nun, nun!

HERZOG VON ANGOULÊME. Gemahlin, nicht so heftig. Du bekommst wieder die Migräne.

HERZOGIN VON ANGOULÊME. Was Migräne – Er –!

HERZOG VON BERRY. Was will er denn mit seinen wenigen Leuten?

BLACAS D'AULPS. Königliche Hoheit, ruhig, – lassen Sie es mit der Personnage gut sein.

D'AMBRAY. Überlassen Sie ihn den Jurys.

HERZOGIN VON ANGOULÊME. Ihn den Jurys? – Menschen, wißt ihr, wer seine Jurys sind? – Die Heere Europas, und kein anderer – O Waffen, Waffen, Waffen! – Sturmglocken geläutet – Alles, alles aufgeboten, in der Kirche wie auf dem Schlachtfelde! – Gelandet – → Weh' mein Herz – – Nun macht Er seine Tigersprünge, wie einst von Ägypten nach Paris, von Eylau nach Madrid, von Madrid nach Wien, nach Moskau – Oh, ich fühle schon seine Krallen!

HERZOG VON ANGOULÊME. Diener, Diener, sie wird ohnmächtig – kölnisches Wasser –

BLACAS D'AULPS. Es wird schon geholt.

HERZOGIN VON ANGOULÊME. Kölnisches Wasser – Französisches Feuer schafft her für euch alle! – Ich bitte, bitte, schickt doch nach dem Telegraphen! – Ach, er wird schon mit Nachricht da sein! –

DER OBERZEREMONIENMEISTER *(tritt ein)*. Der Oberdirektor des Telegraphen.

KÖNIG LUDWIG. Komme.

(Oberzeremonienmeister ab. – Der Oberdirektor des Telegraphen kommt.)

OBERDIREKTOR DES TELEGRAPHEN. Sire, Bonaparte steht seit etwa anderthalb Stunden mit einigen tausend Mann vor Lyon.

HERZOG VON BERRY. Je tiefer im Lande er ist, so eher wird er
gefangen.
*(Oberdirektor des Telegraphen auf einen Wink des Königs
ab.)*
HERZOGIN VON ANGOULÊME. Schon vor Lyon! Seit anderthalb
Stunden! – So ist er jetzt darin – vielleicht schon diesseits, uns
ganz nahe! – Eure Kuriere und telegraphischen Depeschen
waren stets langsamer als Er!
KÖNIG LUDWIG. Was raten Sie, meine Herren?
BLACAS D'AULPS. Lassen Sie uns, Sire, einige hundert Verdächtige, welche ihn in Lyon und Paris unterstützen könnten,
verbannen, und er erlischt von selbst, wie ein Licht ohne
Brennstoff.
D'AMBRAY. Wahrlich, das Beste. Ich will eine Liste solcher
Übelgesinnten aufsetzen, und sie zu dem Fuße des Throns
legen.
KÖNIG LUDWIG. Tun Sie es – ich werde sie nachsehen und beur-
teilen. – Indes jetzt den Ney gerufen, Fürsten von – Ich weiß
nicht, wie der Mann sonst heißt.
*(Blacas d'Aulps geht in den Vorsaal, spricht mit dem Ober-
zeremonienmeister, und kommt zurück.)*
HERZOGIN VON ANGOULÊME. Der Ney, der Ney – Der unsere
Zuflucht? – Kleiner und häßlicher ist sie nicht zu finden!
KÖNIG LUDWIG. Er heißt der Brave der Braven, und alle alten
Krieger lieben ihn.
HERZOGIN VON ANGOULÊME. Er ist einer der Frechsten unter den
Schlechten, und wenn die alten Krieger ihn lieben, müssen
wir ihn hassen.
OBERZEREMONIENMEISTER *(tritt ein)*. Se. Durchlaucht der Fürst
von der Moskwa.
KÖNIG LUDWIG. Er trete ein.
(Oberzeremonienmeister ab.)
HERZOGIN VON ANGOULÊME. O hättet ihr selbst Mut, ihr bedürftet
des Elsasser Sergeanten nicht. Auch nicht mit einem Blick
werd' ich ihn ansehen, *(an das Fenster tretend)* lieber dort die
Straßen.
MARSCHALL NEY *(tritt ein)*. Sire –
KÖNIG LUDWIG. Mein Marschall –
NEY *(für sich)*. Werden sie höflich? – vermutlich, weil sie etwas
von mir wollen. Meine Gemahlin hat mir das stets prophe-
zeit.

König Ludwig. – und mein Vetter –

Ney *(für sich).* Vetter, Vetter – Hörte das meine Gemahlin – sie
jubelte! *(Wieder laut, aber verlegen.)* Monarch?

Blacas d'Aulps *(zu d'Ambray).* Wie wenig kennt das Vieh die
Etikettensprache des Hofes.

D'Ambray. Wie konnte er in Bonapartes Feldlagern Vernunft
lernen?

König Ludwig *(zu Ney).* Ja, Fürst, – jeder Marschall Frankreichs ist Vetter, und hoffentlich auch Freund des Königs.

Ney. Bis in den Tod, Sire!

Blacas d'Aulps *(zu d'Ambray).* Wie groß der König ist – mit
dem einzigen Worte »Vetter« hat er ihn erobert.

Herzogin von Angoulême *(halb zu Blacas d'Aulps gewendet).*
Und wie klein der Sergeant ist, daß ihn so ein Wort besticht!
Wie schwach wir, daß wir ihn bestechen!

Blacas d'Aulps. Königliche Hoheit, Sie hörten –?

Herzogin von Angoulême. Alles, was Sie und d'Ambray flüsterten. Mein Ohr ist aus Versailles. *(Sie tritt wieder an das
Fenster.)*

König Ludwig. Vetter, der Bonaparte ist bei Toulon gelandet.

Ney *(bestürzt).* Wie – was? – Es ist eine Erdichtung!

König Ludwig. Nichts weniger. Er ist gelandet, und Sie sollen
uns von ihm befreien.

Ney. Ich –? Von ihm? – Im Namen der – im Namen Gottes denn,
wenn es sein – wenn es geht.

König Ludwig. Wie sollt' es nicht gehen, wenn der Brave der
Braven, dem der Korse seine größten Siege verdankt, einmal
gegen ihn ficht? Wir mindestens trauen es Ihnen zu.

Ney. Wirklich, Sire?

König Ludwig. Ich gebe Ihnen die Hand darauf.

Herzogin von Angoulême *(für sich).* Pfui!

Ney. Das ist zuviel, König, – das verdien' ich nicht. – Offen
gesagt, (denn so großer Güte gegenüber kann ich nichts mehr
verbergen): ich war nicht der beste Royalist, hatte zwar über
den Kaiser mich hart zu beschweren, aber die Kaiserzeit nicht
ganz zu vergessen – Sire, ich mach' es wieder gut – weg aus
meiner Brust die letzte Erinnerung an Ihn und seine Heer-
züge – himmeltief steht er unter Ihnen –– Ja, geben Sie mir
Truppen, ich zieh' ihm entgegen, und bring' ihn Ihnen gefangen oder tot! –– Wie konnt' ich so verblendet sein –– Alles,

alles an diesem Hofe ist edler, anmutsvoller, erhabener als am buntscheckigen Lager zu St-Cloud!

KÖNIG LUDWIG. So eilen Sie, Vetter, von Familie und Freunden Abschied zu nehmen, denn Ihre Bestallung und meine Befehle folgen Ihnen auf der Ferse.
(Ney entfernt sich.)

HERZOGIN VON ANGOULÊME. Da abermals ein Pröbchen von der Treue und der Kraft des neuen Adels!

HERZOG VON BERRY. Unter dem Ney dien' ich in keinem Fall.

HERZOG VON ANGOULÊME. Ich auch nicht.

KÖNIG LUDWIG. Ihr behaltet die Haustruppen ausschließlich.

OBERZEREMONIENMEISTER *(tritt ein)*. Ein Kurier, Majestät –

KÖNIG LUDWIG. Er komme.
(Oberzeremonienmeister ab.)
Bald werd' ich aber für heute der Audienzen müde.
(Der Kurier tritt auf.)
Woher?

KURIER. Sire, von Wien.

KÖNIG LUDWIG. Ihre Botschaft?

KURIER. Sie ist mündlich und schriftlich.

KÖNIG LUDWIG. Die mündliche?

KURIER. Murat greift die Österreicher an –

HERZOGIN VON ANGOULÊME *(wendet sich vom Fenster)*. Ha, klaffen bereits seine Hunde um Ihn?

KURIER. Bonaparte ist in die Acht erklärt –

KÖNIG LUDWIG. Recht von dem Kongresse. – Talleyrand?

KURIER. Ist heiter.

KÖNIG LUDWIG. Das ist ein gutes Zeichen. – Der Kongreß selbst?

KURIER. Ist bei der Nachricht von Bonapartes Landung auseinandergeflogen.

KÖNIG LUDWIG. Himmel, was?

KURIER. Ich selbst sah die Tausende der Adjutanten und Stallbedienten reiten, als Kaleschen hinter Kaleschen, der Kaiser von Rußland und der König von Preußen mit den Ihrigen unter ihnen, aus dem Tor fuhren.

HERZOG VON BERRY. Die schwachen Menschen. Fliehen vor einem Abenteurer.

HERZOGIN VON ANGOULÊME. Kanntest du den Abenteurer bei Austerlitz und bei Jena?

HERZOG VON BERRY. Nein.

HERZOGIN VON ANGOULÊME. Da lernten ihn die beiden Herrscher
   kennen.
HERZOG VON BERRY. Ihn nicht, wohl aber sein Glück.
KÖNIG LUDWIG *(zu dem Kurier)*. Ihre Schriften –
   (Der Kurier übergibt sie ihm.)
   Sie selbst sind bis auf weiteres entlassen.
   (Kurier ab.)
   Talleyrand schreibt, er sei besorgter, als er in seinen Mienen
   merken lassen dürfe. Die Landung von Elba würde zum
   Weltereignis, erdrückten wir es nicht im Keim.
HERZOG VON BERRY. Bonaparte ist toll, Talleyrand ist toll! Das
   ist alles!
HERZOGIN VON ANGOULÊME. Talleyrand toll? Ich weiß nicht. –
   Doch Bonaparte, der das wirklich tut, was Talleyrand oft
   heucheln soll, der kein Auge aufschlägt, keinen Schritt
   macht, ohne berechnet zu haben, wohin er blickt, wohin er
   tritt? – Schlecht ist er, ja oft klein pfiffig, – aber toll? So
   möcht' ich hören, was klug ist.
KÖNIG LUDWIG. Halt' ihn nicht für zu gefährlich.
HERZOGIN VON ANGOULÊME. Er ist gefährlich. Frage nach bei
   Jakobinern und Royalisten, frage nach an den plötzlich von
   ihm geraubten Küsten Ägyptens oder der Nordsee, frage
   nach an den Mauern von Danzig und Sarragossa – Wie die
   stilldunkle Wetternacht ist er – Erst wenn du getroffen bist,
   merkst du: es hat geblitzt. – Sieh, unterm Busen bricht mir die
   mit Lilien geschmückte Goldspange jach auseinander – Auch
   das kommt unerwartet, aus Angst vor Ihm – – Ist selbst diese
   Kleinigkeit nicht bedeutend?
OBERZEREMONIENMEISTER *(tritt ein)*. Sire, das Nef ist aufgesetzt.
KÖNIG LUDWIG. So laßt uns speisen.
   (Oberzeremonienmeister ab.)
HERZOGIN VON ANGOULÊME *(für sich)*. Jetzt speisen! Welch
   unverwüstlicher Appetit! – *(Laut.)* Majestät, darf ich eines
   bitten?
KÖNIG LUDWIG. Fodre.
HERZOGIN VON ANGOULÊME. Laßt sofort meinen Gemahl nach
   der Gegend von Lyon eilen, Berry ihn mit einem Teil der
   Haustruppen begleiten. Vielleicht treibt der Anblick der kö-
   niglichen Prinzen den Empörern die Schamröte, falls sie da-
   von etwas haben, in das Gesicht. Ich selbst bitte um Urlaub

nach meiner treuen Stadt Bordeaux. Diese Perle an der See
soll er mir ohne Kampf nicht nehmen.

KÖNIG LUDWIG. Du verlangst viel. Doch halb und halb hab' ich
Gewährung versprochen – – Wenn die Prinzen nichts erinnern?

HERZOG VON ANGOULÊME. Ich bin konform mit meiner Gemahlin, Sire. *(Für sich.)* Unangenehme Reise. Das Wetter wird
seit Mittag auch schlecht.

HERZOG VON BERRY. Den Spazierritt nach Lyon mach' ich zur
Abwechslung mit.

KÖNIG LUDWIG. Aber heute laßt uns erst von dem Wildpret Mon-
sieurs kosten.

HERZOGIN VON ANGOULÊME. Sire, ich komme mir selbst wie ein
gehetztes Wild vor und mag dergleichen nicht essen. Ver-
schone mich mit dem Mahl – Laß mich noch diese Nacht nach
Bordeaux.

KÖNIG LUDWIG. Wünschest du es, so muß ich es bewilligen, so
lang auch der kurze Abschied meinem Herzen schmerzen
wird.

HERZOGIN VON ANGOULÊME. Ich küsse deine Hand, Sire – – Ach,
wo sehen wir uns wieder?

KÖNIG LUDWIG. In Paris.

HERZOGIN VON ANGOULÊME. Und *wie*?

KÖNIG LUDWIG. Du bist zu furchtsam.

HERZOGIN VON ANGOULÊME. Furchtsam? – Sire, *Waffen, Waffen!*
Waffen!
(Ab. Der König, der Herzog von Angoulême, und der Herzog
von Berry ebenfalls.)

BLACAS D'AULPS *(zu d'Ambray, indem er mit ihm folgt).* Die
Herzogin behandelt den Vorfall auf die überspannteste Art.

D'AMBRAY. Es ist eine Dame, Herr Graf, – da hilft nichts – die
Damen lassen sich eher alles andere ausreden, als ihre Schwä-
chen.
(Beide auch ab.)

Fünfte Szene

Paris. Grèveplatz, in der Gegend der Laterne.

Zwei Bürger kommen.

ERSTER BÜRGER. Das ist eine Nacht!

ZWEITER BÜRGER. Hut in's Gesicht, Mantel enger um die Schultern! – Oben regnet's, unten marschiert Ney mit Truppen aus den Toren. Gott weiß, was das bedeutet!

ERSTER BÜRGER. Schade um den Ney. Er war ein anderer Kerl, als er noch unter Napoleon im Feuer stand, und nicht in den bourbonischen Vorhöfen kroch.

ZWEITER BÜRGER. Still – Patrouillen –

EINE LINIENINFANTERIE-PATROUILLE *(kommt)*. Wer da?

ERSTER BÜRGER. Bürger von Paris.

PATROUILLE. Begeben Sie sich nach Haus, meine Herren, – im Namen des Königs! *(Patrouille zieht vorbei.)*

ERSTER BÜRGER. Freund, was ist das –? – Ha schon wieder eine Patrouille. –

ZWEITER BÜRGER. Gensd'armes zu Pferde.

EIN GENSD'ARMES. Wer da? Zu Haus Leute, in eure Betten, zu euren Weibern – auf der Stelle –

ERSTER BÜRGER. Herr, ihr sprecht als wären wir Sklaven.

DER GENSD'ARMES. In den Betten ist es wärmer und besser als hier.

ZWEITER BÜRGER. Der Mann hat Recht und Verstand. Komm, Freund. Es wird hier draußen mehr und mehr unheimlich.

ERSTER BÜRGER. Nun, wär' auch eine Empörung im Ausbruch, – die Nationalgarde, wozu auch wir gehören –

ZWEITER BÜRGER. – und die ihre Offiziere von den Vorstädtern an der Laterne da aufknüpfen läßt, weil sie stets an ihr Vermögen denkt, der Vorstädter an sein Nichts?

ERSTER BÜRGER. Wahr, wahr! Zu Haus, zu Haus!

DER GENSD'ARMES. Noch immer geschwatzt? Tod und Hölle, fort!

(Patrouille und die beiden Bürger ab. Fouché und Carnot begegnen sich von verschiedenen Seiten. Beide sind tief in Mäntel gehüllt.)

FOUCHÉ. Ha, du bist es! – Ich schickte zu dir – du warest nicht zu Haus. Hier dacht' ich dich zu finden.

CARNOT. Als ich hörte, daß du geschickt hattest, sucht' ich dich auch hier, Otranto – oder, wie ich dich lieber nenne, Fouché.

GENSD'ARMERIE-PATROUILLE ZU FUSS *(kommt)*. Wer hier?

FOUCHÉ *(zu Carnot)*. Die Narren will ich anführen. Ich kenne ihre Losung. Sie sollen uns für zwei Mouchards erster Sorte halten. *(Zu den Gensd'armes.)* Wo ihr Offizier?

OFFIZIER. Da bin ich. *(Nachdem ihm Fouché etwas in das Ohr gesagt hat.)* Wünsch' Ihnen Glück im Geschäft, meine Herren.

(Die Patrouille zieht weiter.)

CARNOT. Hm, bediene dich nicht des Betruges.

FOUCHÉ. Muß man es jetzt nicht tun, wenn man unter den Schurken das Gute durchsetzen will?

CARNOT. Ha, da –

FOUCHÉ. Wie wird dir?

CARNOT. Ein unwillkürlicher Schauder ist verzeihlich: bedenke, wo wir stehen, hergebannt vom dunklen Triebe.

FOUCHÉ. Die berüchtigte Laterne des Grèveplatzes faßt mit ihrem Mörderarm über uns in die Nacht und dort, in der Mitte rasselte die permanente Guillotine, als auch du im Wohlfahrtsausschuß saßest.

CARNOT. Da stand sie – das blutige Ungeheuer –

FOUCHÉ. Du selbst unterzeichnetest die Todesurteile der Tausende und aber Tausende, welche unter ihr fielen, mit.

CARNOT. Eben deshalb bin ich bewegter als du. – Fouché, welche Eichen verloren hier ihre Kronen! Dieser Platz ist der Opferaltar Frankreichs! – Hier sanken Danton, Hérault de Séchelles, Robespierre – auch der König fiel nicht weit von hier.

FOUCHÉ. Gereut es dich?

CARNOT. Nimmer! Es ging nicht anders. – Was mit den Leuten zu machen, wenn ihre Zeit vorüber war, und ihre Anhänger doch trotzen und rückwirken wollten?

FOUCHÉ. Du hast in deinem Memoire gesprochen.

CARNOT. Du in dem deinigen. – Wir sind eins, nur unser Ausdruck ist verschieden. Aber sprechen wir auch mit den Zungen aller zweiunddreißig Winde, es hilft nichts. Drum sag' an, was ist zu *tun*?

FOUCHÉ. Die Bourbons müssen fort mit ihrer alten Zeit, – sie haben bewiesen, daß sie nichts Neues lernen können,

und – erschrick nicht, Republikaner – Bonaparte muß zurück.

CARNOT. Bonaparte? Weißt du, was du sagst? Der vertilgte die
Freiheit mehr als alle Tyrannen von Valois und Bourbon. Ja,
man schelte den Wohlfahrtsausschuß und sein Blutsystem,
wie man wolle: seine Ideen waren größer als der Egoismus
des Generals Bonaparte.

FOUCHÉ. Gewiß. Aber wir bedürfen irgendeines neuen Menschen an der Spitze, und können Napoleon nicht übergehn.
Auch ist er nicht mehr der von 1811. Sein Ruhmesglanz war
sein Diadem. Im Regen von Leipzig erblich es so ziemlich,
und blieb nur so viel Schimmer übrig, als wir gebrauchen
mögen, ohne zu fürchten, er blitze uns abermals damit zu
Boden. Er werde wieder Kaiser, jedoch kräftig gebändigt mit
einer Konstitution.

CARNOT. Die zerbricht er auf bekannte Manier, sobald er zwei
Schlachten gewonnen hat.

FOUCHÉ. Zwei – oder sicherer *drei* Schlachten soll er nicht auf
der Reihe gewinnen.

CARNOT. Mensch – ehemaliger Polizeiminister –

FOUCHÉ. Sprich den »Polizeiminister« nicht bitter aus. Frankreich besteht ohne solchen keine vier Wochen.

CARNOT. Bonaparte kann nicht zurückkommen. Ausgestoßen
von aller Welt ist er auf Elba.

FOUCHÉ. *War!*

CARNOT. Wie?

FOUCHÉ. Was schreiben wir heute?

CARNOT. Den siebenzehnten März.

FOUCHÉ. Gut, so ist er schon in Auxerre.

CARNOT. Raserei!

FOUCHÉ. Nein, – lies mein Tagebuch, hier bei dem roten Schein
der furchtbaren Laterne, – am dreizehnten reiste er von Lyon
ab.

CARNOT. Unmöglich!

FOUCHÉ. Das Wort kennt Er nicht, oder will es nicht kennen, was
auch etwas sagt. – – Siehst du, wie der Telegraph mit Feuer-
lichtern auch bei Nacht geht? Und weißt du, welche Nachricht er eben empfängt und sie nach allen Ecken an Frankreichs Präfekten und Gouverneure weiterverbreitet?

CARNOT. Nein.

FOUCHÉ. Wart' einen Augenblick – Da hab' ich den Schlüssel der
Chiffre, – er verbreitet: Bonaparte ist diesseits Lyon gefangen, seine Leute sind zersprengt und er ist vor die Assisen
gestellt.

CARNOT. Das klingt anders als deine Behauptungen.

FOUCHÉ. O du unschuldiges, kindliches Genie! – Wär' ich wie
du, und kennte bloß die Wissenschaft und die Tugend, nicht
aber die Menschen! – – Wisse: in einer Stunde ist halb Frankreich getäuscht, – denn die Telegraphenlinie von Toulon lügt,
und das äußerst grob, wie es für den Verstand von Blacas
d'Aulps paßt. Wahrscheinlich hat Napoleon, um die Bourbons desto sicherer zu machen, dabei selbst die Hand im
Spiel. Wie wäre er über Lyon herausgekommen, hätt' er nicht
schon eine Armee um sich, wären nicht Grenoble, nicht alle
Truppen zu ihm übergegangen? Noch wenige Tage und er ist
in Paris.

CARNOT. So mag er regieren. Aber jeder Blutstropfen empört
sich bei dem Gedanken, daß er den asiatischen Despoten
erneut.

FOUCHÉ. Ich wiederhole, das soll er nicht, und wären auch wir
beide nur einig. – Folge mir, – ich kenne eine Wirtschaft in St-
Martin, wo wir uns unbeachteter sprechen können als auf
diesem Platz oder in unsren Hotels.

CARNOT. Alleswissender, was machen jetzt die Bourbons?

FOUCHÉ. Sehen nach dem Telegraphen und *glauben*, bis sie *füh-
len*, daß sie irrten. Vielleicht ist auch zu dem letzteren ihr Fell
noch zu hart. Möglich, daß sie bald flüchten müssen, und
doch wähnen, es sei etwa nichts mehr als eine Promenade. –
Teufel, wer schnarcht da auf der Treppe? – Heda! wer seid
ihr?

CHASSECŒUR *(mit Vitry aufspringend).* Zwei Kaisergardisten,
ohne Brot und Obdach!

FOUCHÉ. Ah, die tun uns nichts! – Habt ihr etwas gehört, so sagt
es nicht wieder! *(Mit Carnot ab.)*

VITRY. Hast du etwas gehört?

CHASSECŒUR. Nichts Rechtes. Ich schlief schon ganz erträglich.

VITRY. Ich auch. – Wir wollen uns wieder hinlegen. *(Sie tun es.)*

Dritter Aufzug

Erste Szene

Paris. Grèveplatz in der Nähe der Laterne. Es ist Nachmittag.

Volk, zum Teil müßig, zum Teil beschäftigt. Chassecœur, Vitry und ein Schneidermeister im Vorgrunde.

VITRY. Es ist nicht richtig, Chassecœur! Nachts wecken uns verdächtige Gespräche, Ney ist fort mit den Truppen, die Angoulême soll schon auf dem Wege nach Bordeaux sein, und dort geht ein kleiner Emigrant mit seinem Reisebündel – Adieu, mein Herr!

DER EMIGRANT. Wir kommen wieder, Herr von Namenlos – *(Für sich.)* O Feuer, Schwert, Schafotte – Das ganze abtrünnige Frankreich soll brennen und bluten! *(Ab.)*

CHASSECŒUR. Wer weiß, wohin der Emigrant betteln geht, und die Angoulême wird in ihrem Bordeaux beten wollen, daß sie ein Kind bekömmt, wie die Jungfrau Maria, ohne Hülfe ihres Mannes, weil ihr diese Hülfe doch nicht helfen kann. – Hol's der Teufel!

SCHNEIDERMEISTER. Meine Herren, meine Herren, die Herzoge Angoulême und Berry fahren aus der Stadt, auch die Herren Blacas d'Aulps und d'Ambray haben seit einer Viertelstunde Reisepelze an. – Es wird wieder lustig.

CHASSECŒUR. Konvulsivischer Wurm, wer bist du?

SCHNEIDERMEISTER. Herr Mensch, ein Pariser Kleiderfabrikant, der Sie, wenn Sie seine Ehre beleidigen, mit dieser Nadel siebenundsiebenzigmal durchbohrt, ehe Sie ihm eine einzige Wunde mit dem Degen anflicken!

CHASSECŒUR. Ich zittre schon.

FRAU DES SCHNEIDERMEISTERS *(kommt).* Mann, lieber Mann, find' ich dich endlich – o nach Haus! Auch unsre Straße ist voll Lärm und Bewegung! Man sagt der Kaiser käme zurück.

CHASSECŒUR. Sollt' es sein? – Oh!

SCHNEIDERMEISTER. Dummes, infames Weib, sprich leiser – *(Leise.)* Käm' er zurück, so wäre das viel für Frankreichs Ehre und für meine Wohlfahrt. – Geh, Nadeln und Zwirn angeschafft, soviel du kannst! Wir machen bald Monturen! –

Ich sondiere hier nur noch ein bißchen die Stimmung von
Paris, – es ist der beste Platz dazu. – Drum geh, ich komme
gleich nach.

FRAU DES SCHNEIDERMEISTERS. Gleich? – Ist das gewiß?

SCHNEIDERMEISTER. Meinst du, ich würde dich und meine Würm-
chen in der Gefahr allein lassen?

(Frau des Schneidermeisters ab.)

Jesus! heiliger Geist! Da kommt der König! Und welchen
Rock trägt er! De anno 1790 – Geschmack, Geschmack, du
sinkst in das Meer! Das verschulden die Engländer!

EINE DAME DER HALLE *(tritt auf)*. Ach Gott, ich weine – wie
erschütternd geht es in der Deputiertenkammer her. – Alle
Deputierten wollen sich für den König opfern –

VITRY. *Tun* sie es auch?

DIE DAME DER HALLE. Sie hätten es gewiß getan, wenn er nicht zu
schnell Abschied genommen hätte. Und wie sprach er!
Tränen, sag' ich, Tränen im Auge! Mit einem batistenen
Schnupftuch voll gestickter Lilien wischte er sie ab – ach, die
Lilien werden unter solchen Tropfen nur zu herbe genäßt.

VITRY. Da hält der Königsmann mit seiner Kutsche im Gedränge.

CHASSECŒUR. Er wird etwas herschwatzen, was wir in dieser Entfernung gar nicht hören, und von den Nächststehenden kaum
drei, ohne daß sie es begreifen.

VITRY. Desto mehr Respekt haben sie davor.

VIELE AUS DEM VOLK. Still! still! – Der große Monarch!

SCHNEIDERMEISTER. Erhöbe sich der König nur nicht, bliebe er
nur ruhig sitzen, und verdeckte seine Frackschöße, denn von
allen im Universum sind sie die abscheulichsten. Weit ausein-
anderklaffend! Ist das französisch? Es ist nicht einmal eng-
lisch – es ist barbarisch! An dem Kleide den Mann – wer sich
albern kleidet, ist albern – Aus mit unserm schönen Lande! –
So gewiß die Revolution nicht entstehen konnte, wenn man
Reifrock, Perücke und Puder beibehalten und sich daher
wohl gehütet hätte, einander auf den Leib oder in die Haare
zu kommen, so sicher kann die königliche Würde nicht bestehen, wenn der König durch seine Frackschöße eine Sache
zeigt, die zwar auch groß und gewaltig, aber nichts minder als
majestätisch ist.

(Man hört den König reden.)

EINE DAME DER HALLE. Ach – das ist zum Herzbrechen –

VOLK. Lang lebe der König!
  (Die Kutsche des Königs fährt weiter.)

SCHNEIDERMEISTER. Was sprach er?

DIE DAME DER HALLE. Oh, mein Herr, welche Zunge vermag es wiederzusagen? »Die rührendsten Beweise der Liebe hätt' er von seinem Volke erhalten! wenige Verräter störten Frankreichs Glück! Er wolle sich an die Spitze der Armee stellen!« Oh, der wahre Sohn Heinrichs des Vierten!

CHASSECŒUR. Der alte podagrische – will an die Spitze der Armee?

SCHNEIDERMEISTER. Alles sehr gut, meine Dame, aber weshalb läuft er fort, wenn so rührende Beweise der Liebe und so wenig Verräter da sind? – Volk, Volk, laß dich durch Mitleid und Edelmut nicht um deine Klugheit betrügen! Der König will nach Wien und dort auf dem Kongresse Frankreichs beste Provinzen verschenken! Dafür sollen ihm die Russen helfen, alle Nicht-Emigranten zu unterdrücken! Das ist schon lange im Werk gewesen!

VOLK *(wütend)*. Der verfluchte bourbonische Heuchler! Ihm nach – fanget, fesselt ihn!

SCHNEIDERMEISTER. Recht so – und soll er verbluten, so tu' er es an unseren treuen Herzen! *(Für sich.)* Das verdirbt die Kleider und nützt meinem Geschäft.

MEHRERE STIMMEN. Er ist schon fort – über alle Berge!

EIN ÄLTLICHES FRAUENZIMMER. Schimpft nach Belieben – Er war doch ein guter Mann.

CHASSECŒUR. Ja, er aß Rostbeef, aber keine Ofenschrauben.

VITRY. Du schilderst ihn. Was da?

LEUTE VERSCHIEDENEN STANDES *(stürzen herein)*. Napoleon ist gelandet –

CHASSECŒUR. Vitry!

VITRY. Chassecœur! das Veilchen blüht!

SCHNEIDERMEISTER. Die beiden Gardisten springen auf, als ging' es zum Tanze!

DIE LEUTE. – und bei Chalons-sur-Saône ist er gehängt worden!

CHASSECŒUR. Wer sagt das?

DIE LEUTE. Der Moniteur und der Telegraph.

VITRY. Sei ruhig, Chassecœur. – Wenn die beiden zusammen es sagen, so ist es doppelte Lüge. Warum liefe der König sonst weg?

ANDERES VOLK *(stürzt herein)*. Der Kaiser ist in Fontainebleau!

SCHNEIDERMEISTER. Donner und Hagel! – Neys Armee?

VOLK. Ist zu ihm übergegangen, und hat ihm den Marschall mit-
gebracht!

SCHNEIDERMEISTER. Die armen Bourbons!

VITRY *(zu Chassecœur)*. Von nun an laß das Räsonnieren – nicht
mehr nötig – denk' an deine Waffen.

CHASSECŒUR. Sie liegen geputzt und blank im Winkel.

VITRY. Die meinigen auch!

SCHNEIDERMEISTER *(zu einem Nebenstehenden)*. Paß auf, jetzt
stift' ich eine Revolution.

DER NEBENSTEHENDE. Wodurch?

SCHNEIDERMEISTER. Narr, durch diesen Pflasterstein – – Ich
blicke, blicke und blicke auf ihn hin.

SAVOYARDENKNABE.
        »La marmotte –«
(Er stockt und deutet auf den Schneidermeister.) Was hat der
Mensch?

ANDERE UMSTEHENDE. Was sieht der?

NOCH ANDERE. Was geschieht? *(Es drängt sich allmählich eine
große Volksmasse um den Schneidermeister.)*

SCHNEIDERMEISTER *(halblaut)*. Hm – Hum – Oh!

VOLK. Großer Gott! Was ist?

SCHNEIDERMEISTER *(murmelt)*. Gefahr – Paris – Die Seine – Aristokraten –

EINER AUS DER MASSE. Was sagt er?

EIN ANDERER. Verstehst du nicht? Die Aristokraten wollen Paris
untergraben, es mit Pulver von Vincennes in die Luft sprengen, wollen die Seine ableiten, und die Zufuhr sperren!

WEIBER. Wir Unglücklichen! oh, unsere Kinder!

MÄNNER. Waffen! Waffen! – Die Arsenale erbrochen! – Waffen!
Waffen!

EIN BÜRGER *(kommt)*. Meine Herren, es ist wahr – man will die
Seine ableiten – Hier hab' ich eine Schaufel – sie lag an ihrem
Ufer – Zeugnis genug!

VOLK IM VORDERGRUNDE. Die Schaufel – oh, die Schaufeln!

VOLK IM MITTELGRUNDE. Man miniert unter der Seine – Zehntausend Schaufeln sind entdeckt!

VOLK IM HINTERGRUNDE. Auf! auf! Wir wollen uns wehren für
Leben, Weib und Kind, oder was es sonst sein mag!

SCHNEIDERMEISTER *(für sich).* Das letzte klingt lustig – »Was es
    sein mag!« – Sie wissen nicht, was sie wollen, und werden
    nehmen, was sie bekommen. – Ich aber weiß mein Teil, –
    neue Regierung, neue Kleider! *(Halb für sich.)* Das Brot –
    Gott, das Brot –
VOLK. Die Bäcker, die Müller erwürgt! Sie sind von den Mini-
    stern bestochen, uns aushungern zu lassen! Es findet sich kein
    Brot mehr in der Stadt! Brot, Brot, Brot!
SCHNEIDERMEISTER. Wie sie auf einmal hungrig werden! – Aber –
    o wer kommt da? – Weh! die Vorstadt St-Antoine! Die ganze
    Stadtsippschaft, mit welcher ich mich bis jetzt vergnügte, ret-
    tet weder mich noch sich gegen das Belieben dieser Bestien
    von Habenichts und Herren von Schlagzu! – Ach, wir lebten
    unter dem achtzehnten Ludwig so glücklich!
EIN NEBENSTEHENDER. Auch *du*?
SCHNEIDERMEISTER. Freilich. Wie sonst hätt' ich so kühn scherzen
    können? *(Er horcht auf.)* Und Himmel! schon das alte, wilde
    »ça ira« – Mir fröstelt's im Blut! Es wird weiß, wie Schnee!
VORSTÄDTER VON ST-ANTOINE *(treten auf, singend).*
        Ah! ça ira, ça ira,
        Suivant les maximes de l'Evangile,
        Ah ça ira, ça ira, ça ira,
        Du legislateur tout s'accomplira.
EIN BÜRGER. Wie paßt das heute?
SCHNEIDERMEISTER. »Ça ira«, mein Herr, heißt so viel als »Kopf
    ab, wo es uns gefällt«. Mit dem Inhalt ist es einerlei, aber die
    Bedeutung und Wirkung ist dieselbe. – Wir Armen!
VITRY. Ja, Chassecœur, so etwas hast du in Rußland nicht gese-
    hen, – das sind die echten Ohnehosen und Schonungslosen –
    Ihre Piken sind schlimmer als die der feigen Kosaken!
VORSTÄDTER VON ST-ANTOINE.
        Ah! ça ira, ça ira, ça ira,
        Celui qui s'élève, on l'abaissera,
        Celui qui s'abaisse, on l'élèvera,
        Ah ça ira, ça ira, ça ira,
        Le peuple armée toujours se gardera,
        Le clergé regrette le bien qu'il a,
        Ah ça ira, ça ira, ça ira,
        Par justice la nation l'aura,
        Ah! ça ira, ça ira, ça ira.

SCHNEIDERMEISTER. Welche Orchesterbegleitung! Ein zerlumpter Bärenführer mit der Trommel und ein schmutziger Junge mit einem Triangel! Na, Opern, jetzt ist es aus mit euch!

VORSTÄDTER VON ST-ANTOINE.

> Pierrot et Margot chantent à la guinguette,
> Ah! ça ira, ça ira, ça ira,
> Rejouissons-nous, le bon temps viendra,
> Ah! ça ira, ça ira, ça ira.

SCHNEIDERMEISTER. Wie gern lief' ich weg – die verwünschte Neugierde! Es sieht zu kurios aus – Oh – da ist Jouve, der Kopfabhacker von Versailles und Avignon, wieder an der Spitze, eine ellenhohe rote Mütze auf dem Kopfe – Seit zwanzig Jahren sah' ich ihn nicht –– Und da tragen sie auf den Schultern eine Hure, in ihrer Jugend, als Gott vom Wohlfahrtsausschuß abgesetzt war, Göttin der Vernunft, und jetzt dieselbe noch einmal, aber recht gealtert.

VORSTÄDTER VON ST-ANTOINE. Hoch die Vernunft!

ANDERE. Die Hölle mit ihr!

WIEDER ANDERE. Und der Himmel breche zusammen!

NOCH ANDERE. Der Teufel soll Gott sein!

ALLE. Das soll er, er ist ein braver Kerl!

JOUVE. Das ist er, Brüder, aber eben darum der Verleumdete, der Unterdrückte – *(Zu dem Schneidermeister.)* Lumpenhund, was blinzelst du mit den Augen?

SCHNEIDERMEISTER. Vor Freude, mein Herr, daß in Frankreich auch der Teufel zu Recht und Ehre kommt.

VIELE VORSTÄDTER. Jouve, laß den Mann gehn – er ist so übel nicht –

JOUVE. Dann ist er schlecht genug – Wer nicht für uns ist, der ist wider uns – Dieser, merk' ich, ist ein Schuft, der seine Courage da hat, wo er nichts zu fürchten braucht, – der die Fahne auf der einen Seite weiß, auf der anderen dreifarbig trägt, und sie nach dem Winde schwingt. – Seht, wie er anfängt, sich hin und her zu wenden – er möchte jetzt gern fort, nach Haus, sich dort mit seiner Familie hinter dem Ofen verstecken, bisweilen an die Fensterladen schleichen, durch die Ritzen gukken, und ohne Gefahr bemerken, was es auf der Straße für Unheil gibt, um gleich darauf in Sicherheit darüber zu schwatzen – Derlei Memmen sind schändlicher als die öffentlichen Mordbrenner –– Schneiderfetzen, (denn so etwas

wirst du sein) Courage, Schere, Nadeln heraus, – hier mein
Schmiedehammer – Wehre dich oder krepiere!

SCHNEIDERMEISTER. Weh mir!

JOUVE. Nieder! *(Er schlägt ihn zur Erde.)*

VORSTÄDTER UND ANDERES VOLK. Ha! Blut! Blut! Blut! Schaut,
schaut, schaut, da fließt, da flammt es – Gehirn, Gehirn, da
spritzt es, da raucht es – Wie herrlich! Wie süß!

JOUVE. Schneiderblut und Schneidergehirn – Besseres Blut tut
uns not – Wer noch keine rote Mütze hat, färbe sich, bis wir
edleres haben, mit diesem Blute das Haar.

(Viele Vorstädter tun es.)

Vorwärts – die Tuilerien angesteckt – Es lebe die Freiheit!

ALLE VORSTÄDTER. Sie lebe!

EIN VORSTÄDTER. Da kommt Nationalgarde!

JOUVE. Geh' du hin, und sag' ihren Anführern, sie möchten sich
mit ihren Leuten auf der Stelle, und zwar mit gekrümmtem
Buckel nach Hause begeben, sonst würd' ich ihnen in der
Manier, wie ich sie 1789 in Versailles lernte, ihre Köpfe, falls
sie etwas von Kopf haben möchten, dergestalt abhacken, daß
dieselben, ehe sie den Mund zum Schrei aufsperren könnten,
auf dem Boden lägen. –

(Der von Jouve Angeredete ab.)

– Wer ein guter Patriot ist, folgt mir nach! Hacket dem verräterischen Schneider die Finger ab, und steckt sie in den Mund
als Zigarren der Nation!

VIELE VORSTÄDTER. Her die Finger! – Ach, er hat nur zehn!

JOUVE. Geduld, es gibt Verräter genug, um noch tausende zu
erhalten. Bekommen wir den König oder den Kaiser in die
Hände, sie gehören beide mit dazu.

CHASSECŒUR. Der Kaiser?

VITRY. Kamerad, still – den Kaiser und uns hat die Revolution
gemacht, diese aber machten die Revolution und den
Kaiser.

JOUVE. Welcher Bengel wagte mir in die Rede zu fallen und nach
dem Kaiser zu fragen?

VITRY. Da hast du es, Chassecœur.

CHASSECŒUR. Ein kaiserlicher Gardegrenadier zu Pferde.

JOUVE. Leute, der Kerl macht sich Titel – An den Arm der
Laterne mit ihm!

VORSTÄDTER. An den Laternenarm den Verräter!

VITRY. Bitte, bitte, schont ihn, ihr Helden der Revolution –

VORSTÄDTER. Ah –

VITRY. Schöne, allerschönste Göttin der Vernunft, leg' ein Wort für den Unvernünftigen ein – Es geziemt der Vernunft, die Tollen zu bemitleiden.

GÖTTIN DER VERNUNFT. Jouve, laß den Narren närrisch sein. Er ist so geboren und in der Armee so erzogen – er kann es nicht ändern.

JOUVE. Du sagst es, Göttin. – Aber du kaiserlicher Gardegrenadier zu Pferde, merke dir mit deinem schwachen Verstande die Kleinigkeit: soll dir nicht hineingeschlagen werden, so reiße gegen französische Bürger das Maul nicht zu weit auf.

CHASSECŒUR. Hölle –

VITRY. Sacht! – der Kaiser ist gewiß bald da.

ADVOCAT DUCHESNE *(kommt)*. Meine Herren –

VITRY *(beiseit zu ihm)*. Herr Redner, still – Die da verstehen den Teufel von Ihrem Brei, und wen sie nicht verstehen, den bewundern sie nicht, wie unsre Bekannten im Palais Royal, sondern sie bringen ihn um.

(Gensd'armerie zu Pferde kommt.)

EIN HAUPTMANN DER GENSD'ARMES. Auseinander, Pöbel!

JOUVE *(zu einem seiner Nebenmänner)*. Schleich' dich hinter das Pferd des Gensd'armeshauptmanns, reiß' ihn rücklings herunter – ich falle ihm und seinen Gaul von vorn an.

(Jouves Nebenmann ab.)

Was wollen Sie, mein Herr?

HAUPTMANN DER GENSD'ARMES. Nur Ruhe.

JOUVE. Die soll Ihnen werden, in zwei Minuten. – Leute, habt ihr recht starke Stricke? Der Kerl ist fett und schwer.

HAUPTMANN DER GENSD'ARMES. Empörung! Schießt, haut ein, Gensd'armes!

JOUVE. Wer ist mehr, ein Gensd'armes oder ein Franzose? Ihr hauet nicht ein, Bürger Gensd'armes, aber euren elenden Hauptmann hängen wir an jene Laterne, so gewiß als ihn mein Freund in diesem Augenblick vom Pferde reißt.

HAUPTMANN DER GENSD'ARMES. Rettet mich, Kameraden!

JOUVE. Findest deine Kameraden in der Hölle. *(Er schlägt das Pferd des Hauptmanns der Gensd'armes nieder.)*

VORSTÄDTER. In die Luft den Kerl! Hopsa!

HAUPTMANN DER GENSD'ARMES. Schändlich – – Tut alles, nur mei-
    nem Halse nicht zu weh – *(Er hängt.)* Ach! *(Er stirbt.)*
JOUVE. Wo sind die anderen Gensd'armes?
EIN VORSTÄDTER. Schnell auseinander und fortgeritten.
JOUVE. Das war von ihnen weise gehandelt! *(Aufhorchend.)* Was
    für Trompeten?
CHASSECŒUR UND VITRY. Ha! *(Horchen auch auf.)*
VOLK. Dort zahllose Reiterei!
EINIGE. Kennt ihr die klirrenden Kalpaks von Blech und Stahl?
    Es sind polnische Lanzenreiter.
JOUVE. In Ordnung, Brüder – Man will uns im Namen des längst
    hingerichteten Kaisers überrumpeln! – Da Trommeln?
EIN ANKOMMENDER. Die Infanterie von Ney, an den Tschakos
    das Trikolor!
JOUVE. Satan, von jener Seite?
DER ANGEKOMMENE. Artillerie, bedeckt von den Kürassieren
    Milhauds.
JOUVE. Wie konnte der kleine Corporal das alles so schnell ord-
    nen? – Er ist doch ein tüchtigerer Kerl als Mirabeau, Robes-
    pierre oder ich – Schade, daß er tyrannisiert! – Links? und
    hinter uns?
DER ANGEKOMMENE. Links die Garde zu Fuß mit der alten Para-
    demusik, hinter uns die Garde zu Pferd, – soweit man blickt
    nichts als Bärenmützen!
CHASSECŒUR UND VITRY. Unsre Kameraden, unsre Kameraden –
    In Reih und Glied mit ihnen – Jetzt Pöbel zittre! – *(Sie eilen zu
    der vorbeirückenden Garde.)*
JOUVE. Vorstädter, Ruhe! – Wir spielen nicht mehr mit Ludwigs
    Gensd'armes, sondern mit Ihm. Er ist ein schlechter Kerl,
    aber sein Handwerk versteht er. Paris liegt in seinen Ketten,
    eh' es ihn nahe ahnte. –
EIN VORSTÄDTER. Da 'ne Kröte von einer Kutsche – Dragoner
    um sie her – Was wollen die bei dem erbärmlichen Dinge? Ich
    möcht' es visitieren.
JOUVE. Der Blick aus dem Kutschschlag war vom Auge des Man-
    nes von Austerlitz.
MEHRERE STIMMEN. Wieder zwei Kutschen mit kaiserlichen
    Wappen!
JOUVE. Voll von Prinzen und Prinzessinnen des kaiserlichen
    Hauses. – Wo Aas, da die Raben, sonst begreif's der Henker,

wo diese Personen auf einmal herkommen. *(Für sich.)* Der
Imperator zurück, und in der Mode, solang es dauert. Ich
mache sie mit und trage morgen wieder einen eleganten
Frack. Die Jakobinermützen überdauern am Ende doch alles. *(Laut.)* Es beginnt zu dämmern! Hausbewohner, Lichter
an die Fenster, zu Ehren des Kaisers und der Nation! – Damen von Paris, muß man euch erinnern? Das Volk erwartet
schon lange von euren schönen Händen dreifarbige Kokarden! *(Die Fenster werden erhellt, – Damen eilen an dieselben
und werfen die Kokarden in Menge unter das Volk.)*

VOLK. Heil den Damen von Paris!

EIN KRÄMER *(tritt mit seiner Frau aus dem Gewölbe).* Liebe Frau,
laß die weißen Kokarden, die sie wegwerfen, morgen mit
dem Frühesten aufsuchen, und sorgfältig in einen Koffer pak-
ken – Vor einem Jahre macht' ich es ebenso mit den dreifarbi-
gen, habe drei Koffer davon voll und pass' auf, ich setze sie
jetzt reißend ab. *(Ruft.)* Hier dreifarbige Kokarden, das
Stück zu einem Sous!

JOUVE. Hund, du wagst die Farben der Nation zu *verkaufen?* –
Du kommst meiner Laune gelegen! *(Zu seinen Leuten.)*
Nehmt ihm die Kokarden! *(Wieder zu dem Krämer.)* Dir
schaff' ich dafür das Trikolor umsonst: sieh, diese Faust ballt
sich unter deiner Nase, und du wirst weiß, – jetzt erwürgt sie
dich und du wirst blau wie der heitere Himmel, – nunmehr
zerstampf' ich deinen Kopf, und du wirst rot vor Blut.

FRAU DES KRÄMERS. Gott, o Gott!

JOUVE. Die Gans fällt in Ohnmacht – notzüchtigt sie, wenn sie so
viel wert ist, aber im Namen des Kaisers!

ALLE. Jouve hoch und abermals hoch!

JOUVE. Bärenführer pfeif' und trommle, Triangler klingle!
  (Es geschieht.)
  Nach den Tuilerien!
  (Alle ab.)

Zweite Szene

Vor den Tuilerien.

*Abenddämmerung. – Alte Gardegrenadiere zu Fuß, und polni-
sche Lanzenreiter auf Wache. Überall Volk.*

ALTER GARDEGRENADIER. Was hast du da?

EIN ANDERER ALTER GARDEGRENADIER. Betten aus dem Schloß.

ALTER GARDEGRENADIER. Wer schlief darin?

DER ANDERE. Die königlichen Haustruppen.

ALTER GARDEGRENADIER. Die haben ja einen Geschmack wie die
  Wickelkinder der – Ich wenigstens kannte außer Stroh und
  Straßenpflaster seit vierzehn Jahren kein Bett, und schlafe so
  besser, je härter ich liege.

DER ANDERE. Volk, nimm dich in acht! Es stäuben Federn! *(Er
  wirft die Betten unter das Volk, und legt sich zum Schlafe auf
  das Pflaster, viele seiner Kameraden ebenfalls. – Das Volk
  streitet sich um die Betten und reißt sie bei der Gelegenheit zu
  Stücken.)*

JOUVE *(kommt mit seinen Vorstädtern; für sich).* Wie es hier
  stehen mag? – Ha, schlimm – Hat der Kaiser hunderttausend
  Mann, die so wie diese für ihn sich in den Dreck lagern, so
  macht ganz Europa mit allen diplomatischen Sofas nichts gegen ihn.

EIN BÜRGER. Auf die Seite, Platz gemacht!

EIN VORSTÄDTER. Weshalb, Kerl?

DER BÜRGER. Es sprengen zwanzig, dreißig Estafetten aus dem
  Tor des Palastes.

EIN ANDERER BÜRGER. Und da kommen gerade dreißig wieder
  an – Gleich und gleich hebt sich!

ERSTER BÜRGER. Da fliegen Adjutanten heraus!

ZWEITER BÜRGER. Und da jagen Kaleschen herein!

JOUVE *(für sich).* Er ist da – und schon reißt er Frankreich in
  seinen Strudel – – Aber hier ein kaiserlicher Wagen, die Hortense darin – Die Wache liegt zum Teil schlafend auf dem
  Boden – Macht sie nicht die Honneurs oder kommt sie in
  Unordnung, so fass' ich frischen Mut, stürme noch heute
  nacht die Tuilerien, und pflanze auf seiner Leiche den Frei-
  heitsbaum auf!

SCHILDWACHE *(ruft).* Ins Gewehr! – Königin Hortense!

*(Die ganze Wache kommt in Bewegung, und hält gleich darauf
zu Pferde und zu Fuß in Ordnung.)*

OFFIZIER DER GARDEGRENADIERE ZU FUSS. Präsentiert das Gewehr! Trommel gerührt!

OFFIZIER DER POLNISCHEN LANZENREITER. Säbel heraus! Trompete
geblasen!

(Trommeln und Trompeten.)

VOLK. Es lebe Hortense!

HORTENSE *(blickt aus dem Wagenfenster)*. Ich danke!

VIELE DES VOLKES. Die ist doch hübscher als die Angoulême.

JOUVE *(für sich)*. Hier ist nichts zu machen – Die Leute sind zu
einexerziert und zu begeistert – Weg meine Träume – Es lebe
der Kaiser!

VOLK. Hoch der Kaiser!

OFFIZIER DER GARDEGRENADIERE ZU FUSS. Gewehr ab!

(Es geschieht.)

OFFIZIER DER POLNISCHEN LANZENREITER. Säbel ein!

(Es geschieht.)

DIE OFFIZIERE. Nun schlaft, bis die Schildwachen euch wecken.

Dritte Szene

Abend. Zimmer in den Tuilerien. Erleuchtet.

*Napoleon. Viele diensttuende Offiziere um ihn. Andere sitzen
und schreiben.*

NAPOLEON. Wo Cambronne?

OFFIZIER. Sire, er visitiert die Wachen.

NAPOLEON. Diese Zimmer – Ich bin wieder zu Haus, und Frankreich ist mein! – Hier wandelten also vor ein paar Stunden
Blacas d'Aulps und d'Ambray? Ah, *(halblaut)*

S'il est un temps pour la folie,
il en est un pour la raison.

Wem gehörten diese Bücher?

OFFIZIER. Dem König Ludwig.

NAPOLEON. Ich bin doch neugierig – *(Er blickt in mehrere.)*
Gebete! – Mit Gebeten und Jesuiten zwingt man nicht mehr
die Welt – Die Bücher beiseit, und Landkarten auf den Tisch
– *(Zu einem Offizier.)* Lassen Sie in die Zeitungen setzen:

binnen drei Wochen würden die Kaiserin und der König von
Rom hier sein. *(Adjutant ab. Napoleon für sich.)* O mein
Sohn – in den Krallen von Habsburg – Ich kann's, ich mag's
nicht denken! *(Zu einem schreibenden Offizier.)* Die Depeschen?

DER OFFIZIER. Sind fertig, Sire.

NAPOLEON. Fort mit ihnen in die Provinzen. – – Hier neue! –
Welch sonderbares Ding von einem Stuhl?

EIN OFFIZIER. Des Königs Rollstuhl.

NAPOLEON *(setzt sich hinein)*. In dem sitzt es sich freilich bequem
– in dem konnte man leicht vergessen, daß es in Frankreich
und auf Elba ganz anders war, als in diesem Zimmer. *(Wieder
aufstehend.)* Schließt den Stuhl beiseit.

EIN KAMMERHERR *(tritt ein)*. Sire, hier Depeschen – schriftliche
Nachrichten von dem Telegraphen –

NAPOLEON. Her damit – – Die Depesche ist albern – *(Er wirft sie
weg.)* – Da Aufruhr in der Vendée – General Travot kennt
den Distrikt seit zwanzig Jahren – Er soll hin mit zehntausend
Mann – Schnell, schnell das expediert, ihr Schreibenden! Die
Truppen nimmt er aus Nantes und Angers. – – – Hier – oh,
alles, alles seit dem April von 1814 in Frankreich Ruin, Fe-
stungen und bürgerliche Ordnungen – bloß mit den Einkünf-
ten der Pfaffen steht's gut – wenigstens beschweren sich die
Gemeinden über das Unmaß derselben. *(Zu den Schreibenden.)* Die Missionskreuze auf den Marktplätzen sollen fort, –
kein Geistlicher unter Bischofsrang erhält mehr Gehalt als
ein Bezirksrichter.

– Nochmals der Telegraph? – Murat marschiert. Konnt' er
denn nicht warten, bis Ich gerüstet war? Die Übereilung ist
schlimm für ihn und etwas Schade für mich. – Zwölf Zimmer
sollen in Toulon königlich eingerichtet, und ihm überlassen
werden, kommt er auf der Flucht dahin. – Bildet sich der
Mensch ein, er könne in Einem Feldzuge mit seinem neapoli-
tanischen Gesindel Italien organisieren – Das ist eine Arbeit
für Jahrhunderte – Geistliche und weltliche Politik haben zu
fleißig dafür gesorgt.

KAMMERHERR *(tritt ein)*. Der König flüchtet, wie man erfahren,
über Lille.

NAPOLEON. Alle Behörden und alle Festungskommandanten sollen ihn laufenlassen, soviel er kann. Hab' ich ihn, so macht er

mir Plage, hab' ich ihn nicht, so bin ich mit der Plage ver-
schont und er tut mir keinen Schaden.
(Kammerherr ab.)

EIN OFFIZIER. Sire, das Volk ruft Ihnen immer donnernder Vi-
vat –

NAPOLEON. Schon gut.

DER OFFIZIER. Und es fleht, Sire, Sich einen Augenblick am
Fenster zu zeigen, um sein Sehnen nach Ihrem Antlitz zu
stillen.

NAPOLEON. Die Canaille wird anmaßend – Die Bourbons haben,
so hochadlig sie sind, die Zügel doch recht schlaff gehalten – –
Nun – *(Er geht einen Augenblick an das Fenster, lautes Geschrei: »Es lebe der Kaiser« erschallt. Er tritt zurück und)*

DER KAMMERHERR *(kommt wieder)*. Neue Depeschen –

NAPOLEON. Gut. Übrigens verbitt' ich, mir künftig jedesmal die
Kuriere und Depeschen förmlich anzumelden. Wer Beruf
oder Mut hat, mir etwas zu bringen, mit mir zu sprechen,
komme unangemeldet. Europa blickt voll Erwartung hieher,
und läßt mir keine Zeit zur Etikette.

KAMMERHERR. Wie Sie befehlen, Sire.

NAPOLEON. Apropos – Standen Sie bei Ludwig dem Achtzehnten
im Dienst?

KAMMERHERR. Sire, ja – einige Zeit.

NAPOLEON *(für sich)*. »Sire, ja – einige Zeit« – Ein stotternder
Zweideutler. *(Laut.)* Meines Dienstes sind Sie entlassen.
(Kammerherr ab. Kuriere, Ordonnanzen treten ein.)
Die Botschaften – Ah, Gilly hat den Angoulême bei Lyon
gefangen – *(Zu einem Offizier.)* Der Telegraph hat nach Lyon
zu berichten, daß General Gilly den Herzog von Angoulême
im ersten besten Seehafen denen, die ihn zu besitzen wün-
schen, ausliefre.
(Offizier ab.)
Wieder der Telegraph – Die Angoulême ist nach tapferer
Gegenwehr aus Bordeaux vertrieben. – Sie ist der einzige
bourbonische Sprößling, der Hosen zu tragen verdiente. – –
Was bringst du?

EINE ORDONNANZ. Dieses, Sire.

NAPOLEON. Auch vom Telegraphen. – Pah, der Kongreß in Wien
ist auseinander. Daß *der* auseinanderlief, wußt' ich, als ich
von Elba den Fuß in das Schiff setzte. – – Und du?

EINE ANDERE ORDONNANZ. Depeschen von Montmedy.

NAPOLEON *(während er liest).* In Preußen marschiert's – Der
    sonst so sparsame Staat schickt seine Soldaten sogar auf der
    Post an unsre Nordgrenze – Die Niederlande machen es
    ebenso – – Nun, kommt ihr mir zu voreilig entgegen, so rech-
    net's euch selbst zu, wenn ihr mich zu früh findet. *(Zu den
    Schreibenden.)* Ist alles fertig?

DIE SCHREIBENDEN. Ja, Sire.

NAPOLEON. So schickt es fort.
    (Mehrere ab.)
    – – Du hast?

EINE ORDONNANZ. Telegraphische Nachrichten von Brest und
    von Toulon –

NAPOLEON. Ha, England – *(Er liest.)* – Die englischen Flotten
    überall an Frankreichs Küsten mit ausgesteckter, roter, gro-
    ßer Kriegesflagge – Orlogs, kommt meinen Strandbatterien
    nicht zu nahe! – – Und ganz Frankreich ist von den Herren in
    St. James in den Blockadezustand erklärt? – Ei, warum ver-
    bieten sie uns nicht auch das Atmen?

BERTRAND *(kommt).* Sire, hier die Ausfertigungen –

NAPOLEON. Bist fleißig gewesen; ich glaube, du hast in drei
    Tagen weder unterwegs noch hier geschlafen.

BERTRAND. Konnt' ich's vor Freude? – Da wollt' ich denn doch
    bei dem Wachen auch etwas tätig sein.

NAPOLEON. Was macht deine Frau?

BERTRAND. Sitzt am Stickrahmen, springt wieder auf, tanzt, küßt
    ihr Kind, empfängt Bekannte, glüht vor Freude und Gesund-
    heit, und ruft einmal über das andere: Es lebe Gott, es lebe
    der Kaiser, und jetzt mögen wir dazu leben!

NAPOLEON. Grüße sie von mir – Nun?

BERTRAND. Sire, noch etwas –

NAPOLEON. Ich merke, was Schlimmes – Entdeck' es, – ich bin
    kein Bourbon, – wer wie sie das Schlimme nicht erblicken
    will, vermeidet es nicht.

BERTRAND. Die Telegraphen melden von allen Seiten, daß nir-
    gends, vom kleinsten deutschen Fürstenhofe bis nach Wien,
    Berlin und der Newa deine Briefe angenommen sind.

NAPOLEON. So will Ich Selbst sie den Herren bringen, und drei
    mal hunderttausend Mann dazu. – Künftig läßt du in jedem
    offiziellen Schreiben, das »Wir« und das »von Gottes Gna-

den« aus. Ich bin Ich, das heißt Napoleon Bonaparte, der sich
in zwei Jahren Selbst schuf, während jahrtausendlange erb-
rechtliche Zeugungen nicht vermochten, aus denen, die sich
da scheuen, meine Briefe anzurühren, etwas Tüchtiges zu
schaffen. – Jetzt durchzuckt es mich wie ein Blitz, und ich
sehe klar in die tiefsten Gefilde der Zukunft: es wäre klüger
von mir gewesen, hätt' ich –
– –
– –

Sind einmal alle Vorurteile der alten Zeit umgewälzt, so scha-
det es den Enkeln meines Sohnes noch in späten Jahrhunderten, daß sie von einer als kaiserliche Prinzessin geborenen
Mutter entsprungen und dadurch der Anhänglichkeit an lä-
cherliche Ahnenideen verdächtig sind!

BERTRAND. Auch haben alle Mitglieder des Kongresses –

NAPOLEON. Zaudre nicht –

BERTRAND. – eine Art Acht über dich ausgesprochen.

NAPOLEON. Es ist spaßhaft. Geächtet? Mich? Warum?

BERTRAND. Sire –

NAPOLEON. Ich will dir es sagen: Alle die Leute mit all ihren
Generalen, den alten, tollen Blücher vielleicht ausgenom-
men, beben nicht vor Frankreich, wie es jetzt ist, sondern vor
meinem Genie. – Geächtet! Ich! Ich kann mir die schönen
Phrasen denken, in welchen die Ächtung ausposaunt ist –
vom »Störer des Weltfriedens, Eroberer, Tyrannen« wird's
darin wimmeln. – Eh, eine treffliche Sprache im Munde der
Teiler von Polen – Vermieden sie nur die politische Schein-
sucht, – würden sie nur nicht zugleich kleinliche Heuchler,
indem sie große Gewalttaten begehen, – aber da wird alles
mit erlogenen Beweggründen motiviert, jeder Raub mit glat-
ten Worten ausgeputzt, und beides dient bloß die Bewältiger
und Räuber verhaßter und verächtlicher und die Unterdrück-
ten und Beraubten erbitterter zu machen! – Geächtet! – Weil
ich als Kaiser, als unabhängiger Fürst von Elba, den Bourbons, die mir meine Pension nicht zahlten, Krieg gemacht?
Hat Rußland je so viel Ursach zum Krieg mit den Osmanen
gehabt? – O Gott sei gelobt, daß ich Waffen genug habe, um
meinen Grimm nicht wie ein armer Sultan verbeißen zu müssen! – Bertrand, am dreizehnten Juni, abends sieben Uhr,
steh' ich mit meiner ganzen Armee bei Avesnes und weder sie

soll wissen, wie sie dort zusammengekommen ist, noch der
Feind mich eher ahnen, als bis ich mitten in seinen Kantonierungen hause. – Nimm diese Karte, – die Marschrouten hab'
ich schon darauf bezeichnet, – laß bis morgen früh an die
Heerteile und Platzkommandanten die nötigen Befehle ergangen sein.
(Bertrand ab. Fouché und Carnot treten auf.)

NAPOLEON *(für sich)*. Die beiden zusammen? – Ich hätte jeden
lieber einzeln – Doch der freie Eintritt ist einmal erlaubt.

FOUCHÉ. Sire, unsre Glückwünsche zur Wiederbesteigung Ihres
Thrones.

NAPOLEON. Otranto, – Sie übernehmen wieder das Portefeuille
des Polizeiministers.

FOUCHÉ. Sire –

NAPOLEON. Und Ihnen, Graf Carnot, Dank für die Verteidigung
von Antwerpen.

CARNOT. Leider war sie vergeblich, – ich mußt' es auf Befehl des
Königs übergeben.

NAPOLEON. Tut nichts. Belgien entläuft uns doch nicht. Wissen
Sie, meine Herren, daß bereits ganz Europa gegen uns pro-
klamiert und marschiert.

FOUCHÉ. Wir wissen es.

NAPOLEON. Was tun wir?

CARNOT. Sire, geben Sie Frankreich eine liberale Konstitution,
mit sichren Garantien, und die Despoten Europas erzittern,
während der Bürger von Paris fröhlich sein Vaudeville
singt.

NAPOLEON. So auch sprach neulich ein braver junger Mann,
Labédoyère. »Liberalismus«, »Konstitution« lauten gut,
aber Carnot, Sie erfuhren selbst, wie wenig die Menge davon
versteht. Der gute, wohlmeinende Advocat aus Arras,
Robespierre, mußte zum Schreckensmann werden, als er die
Republik aufrechterhalten wollte, und Sie selbst waren sein
Kollege. Dafür haben die Zeitungsschreiber ihn und Sie so
mit Tinte übergossen, daß es lange währen wird, ehe der
Strom der Geschichte beide wieder weißwäscht. – – – Was ich
für den Augenblick tun kann, soll indes geschehen – Die
Zukunft schaffe weiter. Alles was in der neuen bourbonischen Charte nach Feudalismus und Pfaffentum schmeckt,
will ich durch eine Zusatzakte wegschaffen, und diese Akte

auf einem Maifelde, ähnlich jenem der fränkischen Kaiser, publizieren lassen. Aber, aber, glauben Sie, meine Herren, Charten und Konstitutionen sind zerreißbarer als das Papier, auf welches man sie druckt.

FOUCHÉ. Sire, eine Druckerei bedeutet jetzt mehr als eine römische Legion.

CARNOT. Und bedeutete sie weniger als eine französische Compagnie – besser, das Gute wollen, als das Schlechte tun.

NAPOLEON. Sie, Carnot, sind mein Minister des Innern.

CARNOT. Sire, Sie geben mir ein Amt, dessen Geschäfte ich nicht kenne.

NAPOLEON. Das Kriegsministerium wär' ihnen lieber, aber Davoust ist der dermaligen Armee bekannter als Sie – Er hat es. – Drum nehmen Sie den Minister des Innern an, wär's auch nur als nicht verschmähtes Zeichen meines Zutrauens, und seien Sie ohne Sorge, ob Sie dazu passen, – Sie passen zu jedem großen Staatsdienst, denn Sie sind weise, kühn und brav. – Meine Herren, für heute gute Nacht.

FOUCHÉ *(mit Carnot abgehend, flüstert diesem zu)* Die alte Manier, als wäre gar kein Elba gewesen.

NAPOLEON. Der listig kühne Fouché und der ehrliche Republikaner Carnot sind immer zehnmal besser als der klug feige Talleyrand, welcher mit dem Winde schifft, und nachher sagt, er hätte ihn gemacht. Weh ihm, irrt er sich einmal um die Breite eines Haares, der Seiltänzer! Weh ihm, irrt er sich jetzt an mir!

(Hortense tritt ein.)

Warum kommst du erst jetzt? Du bist seit einer Stunde hier. – Ich hörte deinen Wagen.

HORTENSE. So genau weiß das mein Kaiser? Ich sollte mir schmeicheln.

NAPOLEON. Und deine Reisekleider abgelegt – in Goldstoff – Welch ein Gürtel, – eine Sammlung von Diamanten.

HORTENSE. Ich schmückte mich, um dich in würdiger Tracht zu grüßen.

NAPOLEON. Frischer Lorbeer im Haar? – Davon muß ich bald ein paar Blätter verdienen.

HORTENSE. Ach, seit wir uns nicht gesehen, Kaiser, ist manches, manches Schmerzliche über deine Familie ergangen, – du sprühtest Funken, wüßtest du, wie undankbar, wie schlecht

die Menschen sind! Allein das Geschick tat doch den härtesten Schlag –

NAPOLEON. Hortense, ich bitte, laß deine Gewohnheit, mache
mich nicht schwermütig – Ich habe andere Geschäfte. –

HORTENSE. Einen Augenblick hast du übrig für das Angedenken
an Die, die jahrelang nur dich dachte – die bescheidene Blume, welche du der prächtigen Rose des stolzen Österreichs
opfertest, – sank dahin.

NAPOLEON. Josephine! – – Hortense, du bist hart – Oh, ihr Tod
hat mir schon genug schmerzvolle Nächte gekostet – Ja, Sie
war mein guter Stern! – Mit ihr erlosch mein Glück! – – –
Selige Tage, wo ich in Italiens Gefilden den Tod verachtete,
und nur siegte, um ihr meine Triumphe zu melden! Das hat
mich zum Helden geschaffen! – Sprach sie von mir noch in
den letzten Stunden?

HORTENSE. Als sie nicht mehr sprechen konnte, blickte sie auf
das goldne N über ihrem Betthimmel, und ließ sich die Hand
auf das Herz legen.

NAPOLEON. Ha! – – Genug, Hortense. Es ist überhaupt alles
anders geworden. Ich bin, wie in einer Wüste. Berthier ist
fern, Duroc, Bessieres sind längst gefallen, Junot hat sich aus
dem Fenster zu Tode gestürzt, Louise und meinen Sohn hält
man zurück, und noch schlimmer als das alles, viele sind weder gestorben, noch haben sie sich entfernt, aber sie wurden
Verräter. Selbst der Ney – Er ist der Mutigste meiner Marschälle, doch an Charakter der Schwächste. Du hättest das
Gesicht sehen müssen, mit dem er vor mich trat, als seine
Truppen zu mir abfielen. Er hatte im Ernst gegen mich kämpfen wollen, und konnte nun nicht das Auge aufschlagen. Als
ich ihm aber entgegenging und tat als wüßt' ich nichts, ward er
wie ein geretteter armer Sünder, wäre mir fast zu Füßen gefallen, und ich bin überzeugt, er streitet nächstens verwegener für mich als je.

HORTENSE. Ich würd' ihn nicht wieder anstellen.

NAPOLEON. Ich muß es tun – Sein Name hat einen guten Klang im
Heere.

HORTENSE. Es gibt Einen unter deinen Ministern, der treuer ist
als alle deine Marschälle – Er harrt im Vorsaal, Wonne im
Auge –

NAPOLEON. Das ist Maret.

HORTENSE. Du errätst ihn.

NAPOLEON. Keine Kunst, – er ist gewandt wie ein Aal, klammert sich aber auch ebenso fest an. – Er bekommt das Staatssekretariat zurück.

HORTENSE. Auch deine Brüder: Lucian –

NAPOLEON. Der Präsident der Fünfhundert naht sich dem Kaiser? O weh, ich muß ihm hülfsbedürftig, seiner Großmut würdig erscheinen.

HORTENSE. Auch Joseph, Jérôme –

NAPOLEON. Die beiden unterscheid' ich nicht. Jeder fühlt sich in dem Teiche wohl, in den ich ihn setze.

HORTENSE. Beurteile nicht alle so hart. Bedenke, was würde die Welt, wären wir alle wie du!

NAPOLEON. Nun, die würde nicht so übel.

HORTENSE. Ewiger Krieg und Lärm würde aus ihr –

NAPOLEON. Hortense –

HORTENSE. Verzeihe, Kaiser – – Bin ich zu frei, ist deine Güte schuld. – Aber wie viele Kürassiere, Dragoner, Batterien, Grenadiere, Voltigeurs, ziehen wohl schon auf allen Straßen? – O gesteh' es nur – Ich kenne dich. – Dir donnern bereits tausend Kanonen im Haupte – – Schone, schone die Jugend Frankreichs, schone die Mütter, welche mit zerrißnen Herzen ihre Söhne in den Tod senden!

NAPOLEON. Die Truppen, welche jetzt marschieren, sind Veteranen aus Spanien und Rußland, haben schwerlich noch Mütter, und hätten sie deren, welche Französin wäre so schlecht, ihren Sohn nicht gern dem Vaterlande auf dem Felde der Ehre zu opfern? Wo stirbt er besser?

HORTENSE. Feld der Ehre – sage oft: Feld der – *(Sie stockt.)*

NAPOLEON. Sprich.

HORTENSE. – der Eitelkeit.

NAPOLEON. Der Albernheit beschuldigen mich die faden Zeitungsschreiber. – Hortense, denke du besser von mir: nie kämpf' ich ohne Grund. Zog ich nach Spanien, so war es, um die Heimtücke des Kabinetts von Madrid zu strafen, die letzten Bourbonen des Kontinents, welche mich nie aufrichtig lieben konnten, aus meinem Rücken zu entfernen, den Engländern mit einem gewaltigen Bollwerk das Mittelmeer zu schließen. Zog ich nach Rußland, so war es, endlich mit einem Schlag zu entscheiden, ob südlicher Geist oder nordische

Knuten die Welt beherrschen sollten. Jetzt hätt' ich indes
gern Frieden – doch groß und klein ist gegen mich, und ich
muß kämpfen.

HORTENSE. Du mußt – ja, weil du willst.

NAPOLEON. Ihr Weiber! Wer euch belehren will, beschwört das
Feuer. – Hortense tanze, – du verstehst es meisterhaft, – aber
nie wieder ein Wort über Politik.

EINE ORDONNANZ *(tritt ein)*. Paris ist illuminiert.

NAPOLEON. Mir lieb, – so haben die Lichtzieher vielen Absatz.
(Zu Hortense.) Komm mit in den Vorsaal, Maret und die
Brüder zu überraschen. *(Zu den Schreibenden.)* Meine Her-
ren, schnell! *(Mit Hortense ab.)*

Vierter Aufzug

Erste Szene

Paris. Das Marsfeld.

Eine große, mit rotem Sammet überzogene Bühne ist im Hintergrunde errichtet. Mitten auf derselben der Thronsitz des Kaisers, – ringsum, amphitheatralisch geordnet, die Sitze der Pairs und der Deputierten. Kanonen donnern, Truppen und Nationalgarden ziehen auf. Volk überall. Jouve im blauen Frack darunter.

EIN JUNGE. Eine Zigarre, mein Herr, à la reine Hortense.

JOUVE. Her damit, Bengel. Was kostet der Stümmel?

DER JUNGE. Zwei Sous, denn heute –

JOUVE. Denn heute machen wohlfeile Konstitutionen schlechte Zigarren teuer. Da – drei Sous!

DER JUNGE. Gnädiger Herr –

EINE DAME. Wie schrecklich donnern die Kanonen von allen Seiten, den ganzen Morgen schon.

JOUVE. Es sind die bestellten Salven vom Invalidenhause, von Montmartre und Vincennes.

DIE DAME. Heute ist doch ein großer Tag.

JOUVE. Wenigstens knallt er sehr. – Mademoiselle, oder, wie ich glauben muß, Madame, weil Ihre Schönheit schon irgend jemand zur Heirat bezaubert haben wird, –

DIE DAME *(für sich)*. Wie galant der Herr ist!

JOUVE. – lassen Sie uns weiter links gehen – Von hier aus erblikken wir nichts. *(Für sich.)* Auch eine vor Eitelkeit lächelnde Bestie, – vielleicht gut genug zur Zerstreuung.

DIE DAME. Mein Herr, wie dringen wir so weit durch? Es ist überall Volk.

JOUVE. Volk! Weiter nichts? Auseinander der Dreck – *(Er ruft.)* Ein Adler! ein Adler! Da fliegt er – von der Militärschule herüber – Welches günstige Zeichen!

VOLK *(durcheinander)*. Ein Adler! ein Adler! – Siehst du ihn? – Nein – Da ist er! – Das ist ja eine Wolke – – Wolke? Ein Haufen Adler, wollt ihr sagen!

JOUVE. Nun, meine Dame, lassen Sie die Herren den Himmel betrachten, – wir kommen auf der Erde desto weiter.

DIE DAME. Sie sind ein Genie, mein Herr, und ihre Hände sind
sehr kräftig.

JOUVE. Es geht mir wie einigen Monarchen: zum Amusement
schmiede ich bisweilen.

DIE DAME. Mein Wagen hält nicht weit von uns. – Fahren Sie mit
mir nach Haus zum Souper?

JOUVE. Ohne andere Begleitung?

DIE DAME. Nur Ihre Ehre soll mich führen.

JOUVE *(für sich)*. Wer weiß, wohin wir dann geraten. *(Laut.)* Ich
nehme die Einladung an, und Sie sollen meine Ehre Ihrer
Erwartung gemäß finden. – – Oh, – da stehen schon die allerliebsten Weihnachtspuppen, die Nationalgarden, – dort
sprengen Mamelucken oder gut verkleidete Franzosen heran – da brüstet sich die alte, da die neue Garde zu Pferd und
zu Fuß mit dem schnöden Trabantenstolze –

DIE DAME. Wie Sie alles scharf und richtig bezeichnen!

JOUVE. Der Erzbischof von Paris mit seinen Pfaffen fängt an die
Zeremonie einzuräuchern – Wenn die Religion von dem vielen Dampf, den sie machen muß, nur nicht bald selbst ver-
dampft! –

DIE DAME. Sehen, sehen Sie! Pairs, Deputierte, Senatoren setzen sich auf ihre Plätze! – Welche prächtige Mäntel sie tragen!

JOUVE. Und da steigt Bonaparte auf das Gerüst mit seinen
gleichfalls aufgeputzten Ministern.

DONNERNDES GESCHREI DER TRUPPEN UND DES VOLKES. Hoch lebe
der Kaiser!

DIE DAME. Er ist wahrlich ein großer Mann.

JOUVE. Er verstand, auf unsren Nacken sich zu erheben.

DIE DAME. Wie Sie sagen? – – Wie ernst-majestätisch er blickt.

JOUVE. Solang er weiß, daß ihn die Menge anblickt. Zu Hause ist
er nach den Umständen mürrisch, lustig, schwatzhaft, wie
jeder andere. Geht er aus, so überlegt er, wenn er im Zweifel
ist, erst mit dem komödianten Talma Minenspiel und Falten-
wurf. *(Für sich.)* 's ist ja alles Komödie – Es wird nächstens
schwer halten Theaterprinzessinnen von echten zu unterscheiden.

DIE DAME. Da tritt ein Herr vor, die additionelle Zusatznote zu
lesen.

JOUVE. Ja, er spuckt schon aus.

DIE DAME. Diese Note wird die Revolution beendigen.

Jouve. Auf das Ende, Madame, folgt stets wieder ein Anfang. *(Er horcht auf.)* Ah, er liest – Wahrhaftig, wie ich vermutete, der alte Brei in neuen Schüsseln – »Die Pairskammer erblich« – Daß grade ein Bonaparte nicht spüren will, wie erbärmlich die aristokratische Erblichkeit ist – »Der Kaiser ernennt die Pairs« – Früher hieß es »Der König ernennt sie« – »Kein Mitglied der Repräsentantenkammer kann wegen Schulden verhaftet werden« – Da werden sich die Bankerotteurs in Masse hineinmachen – »Der Kaiser bezeichnet aus der Pairskammer die Präsidenten der Wahlkollegien auf lebenslang« – Er wird seine Leute schon finden – »Der Gottesdienst frei« – Das Präsent kostet nichts – Ich wollte, es hieße: »unbedingt freie Presse«. – Gottlob, der Herr Vorleser ist zu Ende.

Die Dame. Der Kaiser hebt die Hand in die Höhe und beschwört die Akte!

Jouve. Und die Pairs und Deputierten der Wahlkollegien äffen ihm nach.

Die Dame. Das Volk erhebt sich – Wir müssen auch schwören –

Savoyardenknabe.
      La marmotte, la marmotte –

Jouve. Junge, laß das Singen, – man beschwört hier die Zusatzakte der Charte der französischen Nation.

Savoyardenknabe. Weiter nichts? Ich bin auch ein patentierter Franzose. *(Er reckt drei Finger empor.)*

Jouve *(für sich)*. Heiligkeit des Eides! – Schafotte und Laternen an seine Stelle! Sie wirken besser!

Das Volk. Wir beschwören die Konstitution und die additionelle Charte!

Jouve. Madame, Madame, – wir schwören mit!

Die Dame. Ist's Zeit? – Was die Dienstmagd da prächtige Straußfedern trägt –

Jouve. Geschwind, geschwind lassen Sie sich dadurch nicht aufhalten – *(Er und die Dame.)* Wir schwören mit! *(Er für sich.)* Fünf mal hunderttausend Meineidige, mich selbst mit eingeschlossen, ohne daß ein Blitz auf sie fällt, sind doch eine interessante Erscheinung! Was haben wir nicht alles beschworen und gebrochen, die erste, die zweite, die dritte Konstitution, die Satzungen Napoleons, die Charte der Bourbons –

DIE DAME. Der Kaiser entfernt sich. Welch herrliche Musik die
  Truppen haben!
JOUVE. Madame, Ihren Arm?
DIE DAME. Mit Vergnügen, mein Herr.
JOUVE *(für sich)*. Die ehebrecherische Kokette! – – – Ob nicht im
  unerforschten Innern der Erde schwarze Höllenlegionen lau-
  ern und endlich einmal an das Licht brechen, um all den
  Schandflitter der Oberfläche zu vernichten? Oder ob nicht
  einmal Kometen mit feuerroten, zu Berge stehenden Haaren
  – Doch was sollten unsre Albernheiten, was sollte ein elen-
  des, der Verwesung entgegentaumelndes Gewimmel, wie
  dieser Haufen, Erdentiefen oder Sternhöhen empören?
  (Laut.) Kommen Sie, Madame.

Zweite Szene

Paris. Ein Zimmer in den Tuilerien.

Napoleon und Hortense treten ein.

NAPOLEON. Nun geht's in das Feld, Hortense. – Ich und meine
  Armee werden unsre Schuldigkeit zu tun wissen.
HORTENSE. Ahnt' ich nicht, daß es so kommen würde? – Bitte,
  Sire, nimm dieses Etui.
NAPOLEON. Wahrlich, schön überzogen – Adler, Bienen, Veil-
  chen daraufgestickt. – Und darin? Allerliebste Sachen! Ein
  ganzes kostbares Schreibzeug en miniature darunter!
HORTENSE. Länder, womit du zu spielen gewohnt bist, kann ich
  dir nicht geben. Nimm die Kleinigkeit, und denke dabei der
  großen Liebe der armen Hortense.
NAPOLEON. – Wann sticktest du den Überzug?
HORTENSE. Als – oh – als du fern warest.
NAPOLEON. Auch etwas wie Tränen darauf gefallen?
HORTENSE. Harter, fragst du? – Es waren trübe Stunden – ja,
  entsetzliche!
NAPOLEON. Hätt' ich doch nicht gefragt – – Dein Etui vergess' ich
  nicht unter den Donnern der Schlacht.
HORTENSE. Und, Kaiser, schone deiner Gesundheit, – du tust es
  leider nie.
NAPOLEON. Was ist auch zu schonen in einem Feldzuge?
HORTENSE. Feldzug, Feldzug! – Ach, laß uns flüchten!

NAPOLEON. Wohin?

HORTENSE. Nach Nordamerika.

NAPOLEON. Gute, dahin flüchte ein Bürger, der sich einmal gegen seinen Monarchen empört hat; Napoleon aber kann nicht flüchten, kann sich nicht verstecken. Ist er nicht vernichtet, oder nicht behütet wie Feuer, so stürzt Europa zürnend oder liebend ihm nach. – Nordamerika wird übrigens binnen vierzig Jahren ein größeres Karthago, der atlantische Ozean ein größeres Mittelmeer, um welches die alte und neue Welt sich lagern – Wie lange, liebe Hortense, währt das aber? Zwei, drei ärmliche Jahrhunderte und dann wandeln auf den Inseln und Küsten der noch grenzenloseren Südsee die Herrscher des Menschengeschlechts.

HORTENSE. Bei jedem Anlaß in den entferntesten politischen Ideen!

(Bertrand kommt.)

NAPOLEON. Alles im Marsch?

BERTRAND. Ja, Sire.

NAPOLEON. Die Truppen sollen die Adler mit Flor umhängen, bis sie einen Sieg errungen haben. Besonders das Augenmerk auf die Artillerie und schwere Reiterei gerichtet, denn wir müssen diesesmal rascher als je niederschmettern und zuschlagen – Drouot kommandiert die erstere, Milhaud die andere, zu den Kavalleristen meistenteils Elsasser oder Normannen genommen, – sie reiten am besten, aber einige Gascogner unter sie gemengt, damit sie durch die verleitet werden, auch *toll* draufloszureiten, – die Küraße sollen ein Drittel dichter als früher sein, um recht nah dem Feinde ins Auge blicken zu können, – Kriegsmanifeste nicht nötig, weil ich Formalien nicht mehr beobachte, – für die Armee ein paar Proklamationen gegen die Preußen und Engländer, denen wir zuerst begegnen, – meine Schnauzbärte lesen sie zwar nicht, wickeln sie um die Patronen, aber mancher meint doch unbesehens, es wäre etwas darin, – von den alten dotierten, zu Herzogen und Fürsten gemachten Marschällen bloß der Ney mit mir nach Norden, – nützt' es mir nicht, daß Europa glaubt, er sei freiwillig zu mir übergegangen, auch ihn behielt' ich vielleicht nicht, – die Mehrzahl jener Herren waren tüchtigere und redlichere Corporale als Generale, – mehrere sonstige Anordnungen kennst du, und ich bitte, besorg' alles so

gut wie du meine Marschordres besorgt hast, wofür ich dir
auch danke.

BERTRAND. Den Dank verdien' ich nicht, denn für dich zu arbeiten ist mir Ehre und Freude. *(Er entfernt sich.)*

HORTENSE. Wenn der Mann all das behält und expediert, was du
ihm eben und jede Stunde aufträgst, so ist er ein Genie, fast
größer als du selbst!

NAPOLEON. Käm' es auf das bloße Talent, und nicht auf die Tat-
kraft an, durch welche es in Bewegung gesetzt wird, so wäre
Berthier statt meiner Kaiser der Franzosen. *(Er klingelt. Ein
Ordonnanz-Offizier tritt ein.)* Sind die Mitglieder des Mini-
steriums versammelt?

ORDONNANZ-OFFIZIER. Ja, Sire.

NAPOLEON. So will ich noch einmal bei ihnen präsidieren, und
selbst sehen, was und wie sie arbeiten.

HORTENSE. Und dann –

NAPOLEON. Mach' ich einen Staatsbesuch in der Pairs- und einen
in der Deputiertenkammer.

HORTENSE. Zuletzt aber?

NAPOLEON. Nehm' ich Abschied von dir und besiege die Koali-
tion, oder erblicke dich nie wieder.

HORTENSE. Trifft das letztere ein, so sei mir die Blindheit willkommen.
(Beide ab.)

Dritte Szene

Paris. Platz vor dem kaiserlichen Marstall.

Drei kaiserliche Piqueurs treten auf.

ERSTER PIQUEUR. Den jungen Araber vor.

DRITTER PIQUEUR. Das arme Geschöpf! *(Geht ab.)*

ERSTER PIQUEUR. Was hilft das Bedauern? Der Kaiser zieht vermutlich in's Feld, reitet schnell, aber schlecht, und wir müssen das Tier mit unsrem Unterricht so lange quälen, bis wir
sicher sind, daß es ihn nicht abwirft.

DRITTER PIQUEUR *(kommt mit dem Pferde zurück).* Da ist der
Araber.

ERSTER PIQUEUR. Ein treffliches Gewächs! – Hussa, über den
Block!
(Das Pferd setzt über einen Holzblock.)

Ha! muckt die Kreatur? – Sie zuckte bei dem Übersetzen mit
dem linken Vorderbein. *(Er schlägt heftig auf das Pferd.)*

DRITTER PIQUEUR. Schone das Tier!

ERSTER PIQUEUR. Eh, junger Mensch – kennst du den Kaiser
genau?

DRITTER PIQUEUR. Nein. Ich bin ja erst seit drei Tagen in seinem
Dienst.

ERSTER PIQUEUR. So wisse, er haut bisweilen mit seiner Reitpeit-
sche ärger auf seinen Piqueur als dieser auf sein Pferd, wenn
es nicht so sicher springt als dieses da lernen soll.

ZWEITER PIQUEUR. Es ist wahr, – ich weiß es von Eßlingen
her.

ERSTER PIQUEUR. Die geladnen Pistolen! *(Er schießt zwei Pistolen vor den Ohren des Pferdes ab.)* Es bäumt sich – Prügelt es!
(Es geschieht.) Die Kanonen herbei.
*(Ein Kommando der Artillerie fährt mit einigen Kanonen
vor.)*
Das Pferd mitten unter die Geschütze – Brennt ab! *(Es geschieht.)* Schlagt den Gaul – Er zittert!

DRITTER PIQUEUR. O Gott, das unselige Pferd!

ERSTER PIQUEUR. Es muß mit dem Kaiser in die Schlacht, und da
gilt keine Furcht vor Geknall. – Bajonette her – Blinzelt ihm
damit dicht vor den Augen. *(Es geschieht.)* Ah, da erschrickt
es nicht mehr.

ZWEITER PIQUEUR. Bravo, Araber!

ERSTER PIQUEUR. Pst! Laß das Schmeicheln – Es möchte sich
verwöhnen – Der Kaiser schmeichelt ihm auch nicht. – Jetzt
setze dich darauf und tumml' es in die Runde, bis es über und
über Schweiß ist!
(Der zweite Piqueur tut es.)
So – so – – Und nun mit ihm in die Schwemme, wo das Wasser
am kältesten – Auch die Sporen in seine Seiten, daß es lernt
wie sein Blut fließt.
(Zweiter Piqueur mit dem Pferde ab.)
Bei Gott, des Kaisers Pferd sein, ist ebenso schwer als sein
Piqueur oder sein Minister. – Teufel, da kommt der Oberstallmeister – Gewiß wieder Befehl über Befehl, einer eiliger
als der andere – Unter dem Kaiser sind die Stunden tausendmal kleiner als die Geschäfte.

OBERSTALLMEISTER *(mit Gefolge zu Pferde)*. Erster Piqueur, in

einer Stunde mit allen Reitpferden und Feldequipagen im
schnellsten Marsch nach Laon. Dort das Weitere.

ERSTER PIQUEUR. Hab' ich Zeit zum Abschied von Frau und
Kind?

OBERSTALLMEISTER. Nein.

ERSTER PIQUEUR. Auch gut. So spar' ich meine paar Tränen für
schicklichere Gelegenheit. – – Aber das ist verflucht, Herr
Oberstallmeister: mein bester Kollege ritt eben mit dem besten Gaul in die Schwemme, und kehrt kaum in einer Stunde
– – Doch wartet – ich hol' ihn ein, oder – *(Zum dritten Piqueur.)* Den Soliman aus dem Stall, – ist er auch der eigensin-
nigste, steifste aller Gäule, so ist er doch zugleich der tollste
und schnellste, beinah wie –

(Dritter Piqueur führt das Pferd Soliman vor.)

ERSTER PIQUEUR *(sich auf den Soliman setzend).* Herr Oberstall-
meister, der Kaiser liefert binnen vierzehn Tagen eine große
Bataille, oder ich kenne seine Marstallsgebote sehr schlecht.
(Er braust mit dem Pferde davon.)

Vierte Szene

Nachmittag. Preußisches Feldlager bei Ligny.

*Viele Feuer. Soldaten aller Waffengattungen um und zwischen
demselben. Einige rauchen, andere kochen, andere striegeln ihre
Pferde etc. Marketender und Marketenderinnen an vielen Orten.
An einem Feuer im Vordergrunde sitzen auf Holzblöcken ein
ostpreußischer Feldwebel und ein Berliner Freiwilliger. Ein
schlesischer Infanterist steht bei ihnen. Über den Flammen hängt
ein Kessel.*

DER BERLINER. Schlesier, da hast du zwei Münzgroschen. Hole
mich von jene Marketenderin einen blauen Zwirn, und vor
dir einen halben.
(Der Schlesier geht.)
Herr Feldwebel –

FELDWEBEL. Was ist?

BERLINER. Ihre Pfeife ist leer – Darf ein Berliner Bürgersohn Sie
etwas Tabak anbieten?

FELDWEBEL. Habe noch selbst Tabak. Danke.
(Der Schlesier kommt zurück.)

BERLINER *(trinkt).* Das wärmt! – – Herr Feldwebel, wir bekommen schlechtes Wetter – der Himmel ist gräulich grau.

FELDWEBEL. Das ist er.

BERLINER. Wie lange liegen wir wohl noch hier?

FELDWEBEL. Bis wir aufstehn.

BERLINER *(für sich.)* Der Kerl ist, wie ein berühmter Autor sagt, göttlich grob. Statt mir mit ihm zu ennuyieren, will ich lesen und mir bilden. *(Er zieht ein Buch aus der Tasche. Dann laut.)* Schlesier, wenn Huhn und Krickente gar gekocht sind, verkündest du es mich.

FELDWEBEL. Woher habt ihr das Geflügel?

BERLINER. Requiriert, requiriert – Herr Feldwebel, Sie essen mit.

FELDWEBEL. Gern.

BERLINER. Herr Feldwebel, was halten Sie von diese Campagne?

FELDWEBEL. Wir müssen tüchtig auf die Franzosen losschlagen.

BERLINER. Versteht sich, so weh es mich tun wird. – Wann sind wir wohl in Paris?

FELDWEBEL. Sobald wir einrücken.

BERLINER. Waren Sie schon einmal da?

FELDWEBEL. Ja, 1814.

BERLINER. Ist es so schön wie unsre große Hauptstadt?

FELDWEBEL. So ziemlich.

SCHLESIER. Huhn und Ente sind gar.

BERLINER. Herr Feldwebel, so wollen wir die verfluchten Luder miteinander teilen. – Da, Sie die Ente, ich das Huhn – Kamm, Schnabel und Füße sind dein Teil, Schlesier.

FELDWEBEL. Behandle den Burschen nicht wie einen Hund.

BERLINER. Es ist man ein Wasserpole, ohne Bildung, aus die Gegend von Ratibor. Der Kamm schmeckt ihm wie Sirup.

FELDWEBEL. Kamerad Schlesier, hier hast du von meiner Ente das halbe Bruststück.

BERLINER. Herr Feldwebel, kennen Sie die Gebrüder Schlegel?

FELDWEBEL. Nein.

BERLINER. Die kennen Ihnen auch nicht, aber kennten sie Ihnen, so würden sie sagen, Sie wären äußerst sentimental.

FELDWEBEL. Alle Donner, ein ostpreußischer im Regiment geborener und aufgewachsener vierzigjähriger Feldwebel sentimental?

BERLINER. Ja, ja, Ihr Herz ist weicher als sie ahnen. Es geht Sie, wie Alexander dem Großen, als er seinen Freund zu geschwind totgeschlagen hatte.

FELDWEBEL. Warum nicht gar wie Napoleon, als er aus Rußland flüchtete?

BERLINER. Napoleon? – Oh, der ist auch noch lange kein Iffland! – – Kannten Sie Iffland?

FELDWEBEL. War er nicht Komödiant?

BERLINER. Komödiant! Sei Gott mich gnädig! – Ein Schauspieler, ein darstellender Künstler, ein Mime war er wie keiner unter die Sonne. Lesen, studieren Sie die Journale – – ach, Sie hätten die großartige Charakteristik sehen sollen, mit welcher er wundersam eindrang in den Geist der Rolle – Na, Lemm, Beschort sind auch sehr schätzbare Talente, aber – Wer kommt da zu Pferde?

FELDWEBEL. Aufgestanden! Der Feldmarschall und General Gneisenau!

BERLINER. Der Feldmarschall ist doch ein großer Kopf!

FELDWEBEL. Woran merkst du das?

BERLINER. Das sieht man ja, so wie er die Mütze abnimmt.
(Blücher und Gneisenau sind bis in den Vorgrund gesprengt. Adjutanten hinter ihnen.)

BLÜCHER. Kamerad, was für ein Buch das?

BERLINER. Isabella von Mirando oder die Kürassierbeute –

BLÜCHER. Wirf's in das Feuer. – Feldwebel, Sie kenn' ich.

FELDWEBEL. An der Katzbach präsentiert' ich Ewr. Durchlaucht zwei von mir gefangene Franzosen.

BLÜCHER. Wahr. Und Sie haben kein eisernes Kreuz? – Hier das meinige. Heften Sie es sogleich an die Brust, und wenn die Kugeln pfeifen, denken Sie bei ihm: es ist doch alles Kreuz, Jammer und Elend, aber das beste Kreuz ist doch immer das des Königs – – Wisset Leute, Bonaparte soll in der Nähe sein, angekommen wie ein Dieb in der Nacht. Ist es so, so haben wir morgen früh Bataille, und wenn das Heer will, morgen abend Sieg.

GNEISENAU. Der Posten von St–Amand muß verstärkt werden.

BLÜCHER. Nicht vielmehr der von Sombref? Er liegt dem Feinde näher.

GNEISENAU. Der französische Kaiser –

BLÜCHER. Nenne den Schurken nicht Kaiser, der meiner Königin das Herz brach.

GNEISENAU. Napoleon wird uns gern von den Engländern tren-
nen, auf die Seite werfen wollen, und, du kennst ihn, da wird
er ohne sich umzusehen die Stellung zuerst angreifen, die uns
zunächst mit ihnen verbindet, und, diese ist: St-Amand.

BLÜCHER. Du hast recht, Freund. – St-Amand mit fünf Infante-
rie- und drei Dragoner-Regimentern verstärkt.
(Mehrere Adjutanten ab.)
Kuriere zu Wellington – Gruß ihm, und die Bitte, er möge
vorrücken – Andere zu Bülow: der breche sofort mit seinem
Corps auf und sei morgen mit Tagesanbruch hier.

GNEISENAU. Jetzt erfahren wir ein mehreres. – Da schickt Ziethen drei Husaren von der Vorhut.
(Drei ziethensche Husaren jagen heran.)

BLÜCHER. Es könnten verkleidete französische Spione sein.
Dem Bonaparte ist keine List fremd. – Die Parole?

EIN ZIETHENSCHER HUSAR. Zorndorf!

BLÜCHER. Richtig. – Was gibt es?

DER ZIETHENSCHE HUSAR. Französische Truppen zu Fuß und zu
Pferde, wie Sand am Meer, in Charleroi, Chatelet, Marchien-
ne, Avesnes. Ihre Voltigeurs drängen sich schon an uns und
schießen aus Strauch und Busch.

GNEISENAU. Haben die Feinde viele Kanonen?

DER ZIETHENSCHE HUSAR. Unabsehbare Züge.

BLÜCHER. Sogenannte Kaisergardisten unter ihnen?

DER ZIETHENSCHE HUSAR. Regiment an Regiment.

BLÜCHER. So ist Er mit seiner ganzen Armee da, und hat uns
überrascht. Doch, es soll ihm wenig helfen, denn er macht
uns nicht bestürzt. – Zurück zu Ziethen – er ziehe sich fech-
tend bis Sombref.
(Die drei ziethenschen Husaren wieder ab.)

GNEISENAU. Alarm, Feldherr?

BLÜCHER. Versteht sich, auf der Stelle! Überall Rappell!
Der Generalmarsch durchs Lager – Neue Patronen ausge-
teilt, die Güte der alten untersucht!
(Viele Adjutanten ab.)
Und wir beiden, Freund Gneisenau, einen Ritt nach Charleroi hin – Es sieht sich nicht besser als mit eignen Augen.
*(Mit Gneisenau ab. Gleich darauf Rappell und General-
marsch im ganzen preußischen Bivouac. Alle zerstreut gewe-
senen Soldaten eilen zu ihren Compagnien und Schwadronen,
rasch sich waffnend und ordnend.)*

FELDWEBEL. Adieu, Berliner und Schlesier – Gott mit euch in der
Schlacht! *(Ab.)*

BERLINER. Herr Schlesier, holen Sie für uns beide noch einen
großen Kümmel.
(Schlesier geht.)
Mein Jesus, welch ungeheurer Unterschied, wenn man erwartet, ob es losgeht, oder wenn es losgeht. Vorher besah ich
die Gefahr halb mit Lust, fast wie einen schön gemalten Bä-
ren, – jetzt wird der Bär lebendig, und mich bebt der Hemd-
schlapp. O hätte meine Mutter mir bei sich behalten, mir nie
geboren, ich brauchte doch nicht zu sterben, – oder wär' ich
doch kein Freiwilliger geworden – Ach, der mußt' ich werden, sonst hätten sie mir unfreiwillig dazu gemacht!
(Schlesier kommt mit dem Schnaps zurück.)

BERLINER. Zittern Sie nicht vor die Bataille?

SCHLESIER. Nein.

BERLINER. Gnädiger Himmel, wie kommt denn das?

SCHLESIER. Es hilft ja zu nichts, – ich muß doch mit vorrücken.

BERLINER *(für sich)*. Das gesteh' ich, der weiß sich in die
Umstände zu finden. Diesem könnte die Polizei Rock und
Camisol wegnehmen und er wäre grenzenlos zufrieden!
(Laut.) Wissen Sie auch, warum wir kämpfen?

SCHLESIER. Das hört man auf allen Wegen – Für König, Freiheit,
Vaterland –

BERLINER. Was halten Sie von die Freiheit?

SCHLESIER. Man sagt, sie wäre was Gutes.

BERLINER *(für sich)*. – – Wie ich ahnte, – pure Dummheit –
wasserpolackisches Vieh! – Der hat gut sprechen, hat gut
krepieren! Ob der dahinsinkt oder nicht, – es ist man ein Ochs
weniger oder mehr, – aber ein Kopf wie der meinige – Jam-
merschade wär' es! – *(Laut.)* Da, trinken Sie das Glas aus.

SCHLESIER *(leert das Glas. Dann)*. Leben Sie wohl – ich muß zu
meinem Regiment. *(Ab.)*

BERLINER. Was? Auch du Brutus, dem ich so viele halbe
Schnäpse gegeben? – Gott, o Gott, nun bin ich so ganz allein
mit meiner Angst!

EIN ZWEITER BERLINER FREIWILLIGER *(kommt)*. Schul-, Kriegs-
Kamerad, was hier gezaudert? Mit mir zu unsrer Compagnie.
Man erschießt dich, bist du nicht sogleich da.

ERSTER BERLINER. Herr Regierungsrat –

DER ANDERE BERLINER. Zum Geier den Regierungsrat! Wer denkt an Rang und Titel, wenn der Korse mit seinen Horden hereinbricht, um Preußens und Deutschlands Ehre zu zertreten? – Ich bin Freiwilliger und Gemeiner wie du.

ERSTER BERLINER. Das ist richtig mit Preußens Ehre, denn die Franzosen haben in Berlin erschrecklich geschändet – Unsre Magd Lotte weiß auch davon zu sagen – – Aber vor dem Erschießen, wenn ich zu spät komme, ist mich nun gar nicht bange, – zwischen dem und mir steht noch ein deutsches Standrecht, und das schont das Pulver.

DER ANDERE BERLINER. Horch, der Zapfenstreich unsres Regiments!

ERSTER BERLINER. Sehr mißtönig! sehr schlechte Noten!

DER ANDERE BERLINER. Fort mit mir!

ERSTER BERLINER. Ich wollte, Sie würden verwundet – Wie schnell trüg' ich Ihnen aus die Schlacht!
(Der andere Berliner reißt ihn mit sich fort. Blücher und Gneisenau kommen zurück.)

BLÜCHER. Teufel, man muß sich in acht nehmen – die französischen Tirailleure sind ja schon überall wie das Unkraut – Da tanzmeistert wieder ein Haufen aus der Holzung! – – Heda, von jenem brandenburgischen Husarenregiment zwei Schwadronen hieher!
(Die zwei Schwadronen sprengen auf seinen Wink heran.)
Husaren, in die Trompete gestoßen, und heraus die Preußenschwerter!
(Es geschieht.)
Ha, wie das blitzt – Es tut einem wohl wie ein warmer Sonnenstrahl am kalten Wintertag. – – Seht ihr jene vorausgelaufenen Franzosenhunde? Wetterleuchtet unter ihnen mit euren Säbeln und jagt sie zurück wie der Habicht die jungen Hühner.

DIE HUSAREN. Wir jagen sie! *(Sie sprengen fort.)*

BLÜCHER. Hast du gesehn, Gneisenau, wie der welsche Grünrock seine Raubrotten herausgeputzt hat? Selbst als er nach Rußland zog, prunkten seine Reitergarden nicht mit so prachtvollen, hohen, roten Federn!

GNEISENAU. Auch die paar Kürassiere, die ich erblickte, waren wie mit Erz übergossen.

BLÜCHER. Hatten aber auch dabei wieder die schöngeputzesten Lappen Bärenfelles vorn am Helm –

GNEISENAU. Ohne Flitter geht's bei den Franzosen nicht ab.

BLÜCHER. Ein Narr verarg' es ihnen, daß sie bei Tüchtigem und
Großem auch den Glanz lieben, wenn ihnen der Schimmer
nur nicht meistens die Hauptsache würde. – Und ihre Reiter
verdienen die herrliche Montur wahrhaftig nicht, – ein gutes
Pferd schämt sich einen von ihnen zu tragen – sie reiten wie
die Judenjungen, nicht bügel-, nicht sattelfest.

GNEISENAU. Aber so wilder und verwegener.

BLÜCHER. Ei was, die Verwegenheit einer schlechten Reiterei ist
einer guten gegenüber nichts als blindes Feuer. Fast all' unsre
Landwehrulanen sind eben vom Pfluge genommene Bauern,
aber keiner darunter, der nicht die Zügel besser hält als sie-
bentausend Franzosen, und könnt' ich heute nacht die Herren mit einem Kavallerie-Überfall regalieren, wie einst bei
Hainau und Laon, so wollt' ich dir beweisen –

GNEISENAU. Eine Überrumpelung ist unmöglich – die feindlichen Vorposten sind zu zahlreich.

BLÜCHER. Leider, – sorge du für die unsrigen. – Ich sehe mich
derweilen im Heere um und finde hoffentlich überall den
alten Kriegsmut. *(Er und Gneisenau auf entgegengesetzten
Seiten ab.)*

Fünfte Szene

*Andere Gegend des preußischen Feldlagers. Abenddämmerung.
Ein Bataillon freiwilliger Jäger in Reih und Glied.*

DER MAJOR. Es fehlt niemand – – Büchsen ab – Aus dem Glied
getreten und an den Wachtfeuern ausgeruht, bis das Flügel-
horn ruft.

ERSTER JÄGER. Herr Major, setzen Sie sich in den Kreis, der sich
um dieses Wachtfeuer lagert. Er enthält Ihre besten Bekannten.

MAJOR. Gern, Brüder, deren Major zu sein, mir die höchste
Ehre ist. – Wann auch wohl säh' man sich so gern bei dem
Schein der geselligen Flamme noch einmal gegenseitig in das
befreundete, lebensfrische Antlitz als am Vorabend der
Schlacht? *(Major und sechs Jäger setzen sich um das Feuer.)*

VIERTER JÄGER. Freunde, denken wir unserer Lieben – Wie man-

cher zärtliche, besorgte Blick von Müttern, Schwestern,
Bräuten richtet sich hierher!

MAJOR. Mit ihnen das Auge des Königs.

DRITTER JÄGER. So umwölke der Himmel seine Sterne noch dichter als er schon tut – uns leuchten bessere Sonnen als er besitzt.

ERSTER JÄGER. Große Augenblicke erwecken große Erinnerungen: Es war doch eine wundervolle, alles entflammende Zeit,
als wir im Februar 1813 den Aufruf des Königes vernahmen
und sofort Breslaus Straßen zu eng wurden für unsere bis zum
Tode für das Vaterland begeisterten Scharen, – als wir dann
in den furchtbaren Schlachten von Lützen und Bautzen zu-
rückgedrängt, aber nicht besiegt, sondern immer kühner, immer stolzer wurden, als selbst Rußlands Kaiser mit seinen
Veteranen von Eylau und Borodino, denen wir die Ehre des
Vorkampfes nicht gönnten, uns als staunende Zuschauer ihr
bewunderndes Hurra zurufen mußten – Welchen Klang hatten da alle großen Worte!

ZWEITER JÄGER. Ja, das ganze Heer war wie elektrisch, – Berliner und Schlesier, Pommer und Märker, alle Eine freudige,
aber übergewaltige Glut, sowie es hieß »Auf den Feind!« –
Jetzt ist's ziemlich anders: Die Feigheit unserer Diplomaten
ließ auf Wiens Kongresse sich die Früchte unserer Tapferkeit
rauben. Hielt man den Kongreß im Feldlager der siegenden
Nationen, so möchte für die Souveränität Kniphausens und
für Aufbewahrung manches anderen Zeugs nicht so außeror-
dentlich besser gesorgt sein, als für das Interesse Europas,
und insbesondre Preußens. Wir Preußen opferten das mei-
ste, den größern Lohn erhielten die anderen.

MAJOR. Was bedeutet der Quadratmeilengewinn gegen die Ster-
nenkrone, die das dreimal erneuerte, aber dreimal wieder mit
ihr geschmückte Preußenheer der beiden vergangenen Jahre
umflicht? Die Lappen von Ländereien, welche Österreich,
Rußland, England und Holland sich anflickten, fallen einstens doch ab, aber wahrlich die blutroten Arkture der
Schlachten, in denen wir vor allen die Kette des Weltherr-
schers zerreißen halfen, funkeln noch nach Jahrhunderten
vom Himmel, und zeigen, wenn Preußen längst untergegangen, den spätesten Geschlechtern die Stellen, wo es prangte.

SECHSTER JÄGER. Das, Herr Major, hilft alles nichts gegen den

Spruch »Besser ist besser«, und besser war es, wenn Preußen,
wenn Deutschland sich mehr konsolidierten.

FÜNFTER JÄGER. Alter Bruder Studio, ich sag's auch: Ruhm ist
gut, ein fideler Bursch ist auch gut, aber ein rundes Stück
Land hält den Ruhm, ein rundes Stück Geld den Burschen
am besten zusammen.

ZWEITER JÄGER. Denken Sie an sich selbst, Herr Major – Gold-
nere Träume als die jetzigen, umglänzten uns, als wir mit
hochschlagender, in der Hitze der Schlacht entblößter Brust,
durch die Gärten von Leipzig dem Feinde in die Flanken
drängten – Preußens Hoheit, der Kaiserthron Deutschlands,
dem sie als schützender Cherub zur Seite stand, warfen ihre
Strahlen mitten durch den Qualm der Geschütze. Der Rhein
war wieder frei und deutsch, wie er geboren, in der Mosel und
der Maas spiegelten sich nur deutsche Gauen, – das schöne
Elsaß, das freundliche Lothringen, das herrliche Burgund mit
seinen sonne- und weinglühenden Gebirgen, – wie grüßten
wir sie schon als zurückgewonnene Glieder deutscher Genos-
senschaft! – Und dermalen?

MAJOR. Unser König ist nicht schuld, ward nicht alles, wie wir
wollten. Er wollte wie wir.

FÜNFTER JÄGER. Er hätte seinen Willen nur durchsetzen und den
Augenblick ergreifen sollen, – nichts in der Welt konnte ihn
damals hindern, und hätt' *er* auch die vom sonst so bedenkli-
chen Österreich so leichtsinnig aufgegebene römisch-deut-
sche Krone als ein herrenlos gewordenes Gut in Besitz genommen und sich auf das Haupt gedrückt.

DRITTER JÄGER. Er konnt' es wagen, – wir wären gern für ihn
gefallen, und Hunderttausende mit uns.

MAJOR. Wer fiele nicht gern für einen Herrscher, so ritterlich,
gerecht und edel als Er?

SECHSTER JÄGER. Ja, Napoleon ist auch groß, ist riesengroß, –
aber er ist es nur für sich, und ist darum der Feind des übrigen
Menschengeschlechtes, – unser König ist es für alle.

MAJOR. Marketenderin!

(Marketenderin kommt.)

Führst du einige Flaschen erträglichen Weines? – Guten hast
du nicht, und kannst ihn auch im Felde nicht haben.

MARKETENDERIN. Herr Major, ich hole Ihnen doch vier bis fünf
sehr gute Flaschen. *(Sie geht.)*

MAJOR. Kinder, noch einmal wechselseitig die Hand – Männerfreundschaft in der Lust wie in dem Kampf – Es gibt nichts Höheres. – Da – da – Ihr haltet Tränen zurück – Laßt sie rinnen – sie fließen edlen Abschiedsgefühlen, – wer sich deren schämt, wer die nicht besitzt, hat sie aus der Brust verbannt, weil er sich davor fürchtet.

ZWEITER JÄGER. So kalt der Regen zu tröpfeln beginnt, so rauh der Wind weht, so nahe der korsische Löwe liegt, und vermutlich schon auf den Hinterfüßen steht, und die Vordertatzen nach uns ausreckt, – wahrhaftig, mir ist's hier wohler um das Herz, als wenn ich in der gut geheizten Stube am Teetisch sitze, daselbst Geschwätz vernehme, was die Sekunde darauf vergessen ist, oder gar selbstgefällige belletristische Vorlesungen anhöre, bei denen ich mein Aufgähnen in Bewunderungsausrufungen verstecken muß.

FÜNFTER JÄGER. Überleb' ich diesen Feldzug, so wird mir das Andenken an euch manche flaue Teevisite, in der ich sonst nichts gefühlt hätte, schr heiß machen.

MAJOR. Was bloß Teevisiten! Nicht nur bei ihnen, – auch in Sturm und Not, unter Kanonenkugeln und unter Friedenssonnen, vor dem Trauungsaltar und vor dem Grabeshügel, brenne in unseren Brüsten im ersten Glanze stets der Name eines jeden von uns – Seht, die Marketenderin hat den Wein gebracht, und er ist unendlich trefflicher als ich vermutete – das Weib ist eine brave Seele, sie kennt unsere Art, und hat für einen Augenblick, wie den gegenwärtigen, trefflichen Hochheimer aus dem Mutterfäßchen aufgespart. – Angestoßen!

ZWEITER JÄGER. Zuerst denn: »Die Toten sollen leben«, und über alle hinaus die auf den Schlachtfeldern von 1813 und 1814 hingesunkenen vaterländischen Helden!

MAJOR. »Die Toten sollen leben«, und mit ihnen der, welcher es schrieb: der erhabene, wetterleuchtende Schiller!

ALLE. Schiller hoch!

FÜNFTER JÄGER. Schillers Jünger nicht vergessen, der grade durch seinen Tod bewies, daß er ihm nicht nachklimperte, sondern nachfühlte.

MAJOR. Theodor Körner, hoch trotz seiner ofenhockerischen Rezensenten!

ERSTER JÄGER. Wie wär' es, wir sängen seine wilde Jagd?

MAJOR. Ein herrlicher Einfall – Die Hornmusik des Bataillons
begleite uns!
(Die Hornisten des Bataillons treten herbei.)
Angefangen!

MAJOR UND JÄGER *(singen, unter Begleitung der Hörner).*
> »Was glänzt dort vom Walde im Sonnenschein?
>   Hör's näher und näher erbrausen.
> Es zieht sich herunter in düsteren Reihn,
> Und gellende Hörner schallen darein,
>   Und erfüllen die Seele mit Grausen.
> Und wenn ihr die schwarzen Gesellen fragt,
> Das ist Lützows wilde, verwegene Jagd!«

VIERTER JÄGER. Wer ließe sich nicht gern von Kartätschen zerschmettern bei diesem Liede und seiner Musik?

MAJOR UND JÄGER.
> »Was zieht dort rasch durch den finstern Wald,
>   Und streift von Bergen zu Bergen?
> Es legt sich in nächtlichen Hinterhalt,
> Das Hurra jauchzt, und die Büchse knallt,
>   Es fallen die fränkischen Schergen.
> Und wenn ihr die schwarzen Jäger fragt,
> Das ist Lützows wilde, verwegene Jagd.
>
> Wo die Reben dort glühen, dort braust der Rhein,
>   Der Wütrich geborgen sich meinte,
> Da naht es schnell mit Gewitterschein,
> Und wirft sich mit rüst'gen Armen hinein,
>   Und springt ans Ufer der Feinde.
> Und wenn ihr die schwarzen Schwimmer fragt,
> Das ist Lützows wilde, verwegene Jagd.
>
> Was braust dort im Tale die laute Schlacht,
>   Was schlagen die Schwerter zusammen?
> Wildherzige Reiter schlagen die Schlacht,
> Und der Funke der Freiheit ist glühend erwacht,
>   Und lodert in blutigen Flammen.
> Und wenn ihr die schwarzen Reiter fragt,
> Das ist Lützows wilde, verwegene Jagd.«

BLÜCHER *(kommt zu Fuß von einigen Adjutanten begleitet).*
Recht, Kinder – ihr haltet mit eurem Singen und Musizieren
das Lager wacher als ich mit zwanzig Tags- und Nachtsbe-
fehlen.

DER MAJOR UND DIE JÄGER *(springen auf)*. Der Feldmarschall
  hoch, und noch einmal und tausendmal hoch!
  (Tusch der Hörner.)
BLÜCHER. Danke, danke, – ich bitte, hört nur wieder auf, – still
  die Hörner, – es ist genug.
DER MAJOR. Ich muß gestehen, Feldherr, wir haben eben bei
  unseren Toasten an alle Welt gedacht, und Sie, das uns Näch-
  ste, Liebste vergessen.
BLÜCHER. Major, das nehm' ich nicht übel. Man sucht zuerst das,
  was man nicht bei der Hand hat. – Burschen, bleibt morgen so
  lustig wie heute.
  *(Ein preußischer Unteroffizer und mehrere Gemeine treten auf
  mit dem General Grafen Bourmont und einem Adjutanten
  desselben.)*
DER UNTEROFFIZIER. Herr Feldmarschall –
BLÜCHER. Was bringst du?
UNTEROFFIZIER. Zwei Franzosen.
BLÜCHER. Weiter nichts? *(Er blickt seitwärts über die Achseln
  nach Bourmont und dessen Adjutanten. Dann zu den Jägern.)*
  Man wird finster, wird man in eurer heiteren Gesellschaft
  durch solchen Anblick gestört. *(Zu Bourmont.)* Wer sind Sie
  und Ihr Nebenmann?
BOURMONT. Er ist mein Adjutant, und ich, Herr Feldmarschall,
  erscheine hier freiwillig, und bin Graf Bourmont, General im
  sogenannten kaiserlichen Heere –
BLÜCHER. Demnach nunmehr ein Überläufer aus demselbigen
  Heere?
BOURMONT. Ich werde Ihnen alle Operationspläne Bonapartes
  entdecken.
BLÜCHER. Französische Entdeckungen mag ich nicht, – überdem
  sehen Sie grade nicht darnach aus, als hätt' er Ihnen viel von
  seinen Operationen zum besten gegeben.
BOURMONT. Solchen Empfang hätten treue Diener König Lud-
  wigs des Achtzehnten, für den auch Sie kämpfen, für den
  auch wir mit Ihnen und Ihren Truppen streiten wollen, nicht
  erwartet.
BLÜCHER. Kennen Sie Deutschland?
BOURMONT. Ich habe Achtung für die lobenswürdige, loyale
  Nation, welche es bewohnt.
BLÜCHER. So wissen Sie denn, Herr Graf, wenn wir kämpfen, so

kämpfen wir just für dieses Land mit der von Ihnen geachteten, lobenswürdigen, loyalen Nation – unser Blut opfern wir,
daß nicht abermals ein Tyrann, wie Bonaparte es ist, von
seinen Bivouacs aus uns und die Welt wie Negersklaven kommandiert, – aber Gott soll uns behüten, daß wir für Ihren Sire
Louis dix-huit, den ich, als er emigriert war, in Hamm samt
seinen Mätressen, recht gut kennen und schätzen lernte, nur
an ein Degengehenk faßten, – unsrethalb mag er auf Frankreichs Thron oder auf seinem N – – sitzen, Kirschen oder
Roastbeef essen, – abscheulich, wenn das Blut, welches wir
verlieren, bloß für Herrn Ludwig den Achtzehnten hinge-
strömt sein sollte.

BOURMONT. Ich ersuche, mich sofort in das englische Lager bringen zu lassen, Herr Blücher.

BLÜCHER. Ich heiße Blücher, Fürst von Wahlstadt, bin könig-
lich-preußischer Feldmarschall, duze mich gern mit jedem
braven deutschen Füselier, aber mit Ihnen und Ihresgleichen
nicht, – verlange daher von Ihnen die geziemende Titulatur
oder es –

BOURMONT. Eure Durchlaucht, es war verzeihliche Unvorsicht,
wenn ich –

BLÜCHER. Schon gut. Machen Sie Ihre Unvorsicht durch einen
Schwanz von Entschuldigungen nur nicht länger. *(Zu dem
Unteroffizier und dessen Soldaten.)* Schafft den Herrn mit
seinem Begleiter zu den Engländern, und meldet dem Wellington dabei, es wäre mir eins, ob er sie zu König Ludwig
schickte oder sie festhielte, – aber weder er noch ich dürften
Überläufern trauen.

BOURMONT. Ha!

BLÜCHER. Pah! *(Zu den Jägern.)* Kinder, singt wieder darauflos!
*(Bourmont und sein Adjutant werden fortgeführt, – Blücher
mit seiner Begleitung ab.)*

DRITTER JÄGER. Wetter, der Feldmarschall ist ein Mann von
Schrot und Korn. Wie schrumpften die beiden Franzosen
zusammen, als er mit dem Fürsten Wahlstadt herausrückte.

SECHSTER JÄGER. Ja, und er ist darum so tüchtig, weil seine Nase
im Feuer der Schlacht nicht weiß wird, – weil er immer gradeaus sieht, wo andere links und rechts die Augen verdrehen, –
weil er dem Napoleon ohne Furcht auf den Leib geht, und
dabei denkt: »Hab' ich dich, pack' ich dich«, – weil er die

Franzosen so offenbar haßt, als er die Deutschen liebt, – und
kurz und wahr: Blücher ist ein rascher Mann, der mehr als ein
anderer 1813 und 1814 dem Korsen das Genick brach, weil er
so ehrlich und kühn in die Welt sah, wie der Korse ver-
schmitzt und verwegen.

Sechste Szene

Vor Ligny.

*Das französische Heer. Kanonen werden aufgefahren, die Kai-
sergarden stehen in Schlachtordnung, die Infanterie- und Kaval-
lerieregimenter der Linie marschieren an beiden Seiten auf.
Napoleon liegt, bis an die Brust lose von einem grünen Mantel
überdeckt, schlummernd auf der Lafette einer Kanone. Eine
Menge Adjutanten und Ordonnanzen zu Pferd und zu Fuß, vom
General bis zum Gemeinen, Chassecœur und Vitry darunter, in
seiner Nähe. Desgleichen viele Piqueurs mit gesattelten Hand-
pferden.*

*Bertrand und Cambronne stehen, ersterer rechts, der zweite links
an seiner Seite, – der Obrist und Adjutant Labédoyère nicht weit
von ihnen.*

VITRY. Chassecœur, nun hast du, was du wolltest – Da schläft er,
und die Gewitter der Schlacht umziehen uns, als wären es
seine Träume. – Wie kann er schlafen? – Vor uns Preußen,
vom Himmel Regen, um uns schlachtdurstende, aufmar-
schierende Franzosen.

CHASSECŒUR. Der Kaiser kann, was er will. So sah' ich ihn schon
oft.

VITRY. Lies, bis der Lärm losgeht die Proklamation.

CHASSECŒUR. Was steht darin? *(Die Proklamation flüchtig über-
blickend.)* Die »Preußen« – Ja, die Hunde hass' ich. – Und
»die Alliierten haben zwölf Millionen Polen, eine Million
Sachsen, sechs Millionen Belgier an sich gerissen« – Meinet-
wegen noch neunundneunzig Millionen von all dem Volke
dazu, aber nur kein Haar des Kaisers!

VITRY *(übergibt die Proklamation einem Sergeanten der in der
Nähe haltenden Garde zu Fuß).* Da – die heutige Proklamation.

SERGEANT. Proklamation? – Um die Patrone damit und sie den
Preußen in den Leib gejagt – Die Canaillen rücken doch
schon von jenen Höhen heran.
EIN CAPITAIN DER VOLTIGEURS *(kommt).* Den Kaiser geweckt –
Die Schlacht beginnt.
CAMBRONNE. Mein Herr, was schreien Sie dicht vor dem Ohr des
Kaisers? Mit Ruhe und Anstand gesprochen!
DER CAPITAIN. Die Preußen fahren dort Batterien auf.
CAMBRONNE. Lassen Sie von den Preußen die ganze Hölle auf-
fahren – Der Kaiser schlummert.
BERTRAND. Und die Rast ist ihm zu gönnen.
DER CAPITAIN. Aber, meine Herren, die Armee gerät in Ge-
fahr –
BERTRAND. Sie irren, Freund. Wäre das, so hätt' er diese Stunde
nicht zum Schlafen gewählt. *(Der Capitain der Voltigeurs
zieht sich zurück. – Mehrere andere Offiziere sind im Ge-
spräch miteinander.)*
ERSTER OFFIZIER. Die Preußen schieben uns Batterien unter die
Nase – fast riech' ich die Lunten.
ZWEITER OFFIZIER. Man sieht ihren Achtzehnpfündnern bereits
tief in die dunklen, hohlen Augen.
ERSTER OFFIZIER. Die Augen werden bald hell sein und unsere
Reihen licht machen.
DRITTER OFFIZIER. In der Tat, ich wollte der Kaiser wachte auf
oder würde geweckt, ehe die feindlichen Batterien sich fest-
wurzeln – Aber man darf ja kaum vom Erwecken etwas sa-
gen, denn der Cambronne und Bertrand stehen neben seiner
Lagerstätte wie die zurückdrohenden Cherubim an der Pfor-
te des Paradieses.
EIN IN DER FERNE IN DIE SCHLACHTLINIE RÜCKENDES REGIMENT
(singt).

> Allons enfans de la patrie,
> Le jour de gloire est arrivé.
> Contre nous de la tyrannie
> L'étendard sanglant est levé. –

CAMBRONNE. Ein Adjutant an jenes Regiment – Der Kaiser liebt
die Marseillaise nicht – Man soll mit ihr aufhören.
LABÉDOYÈRE. Herr General, die Marseillaise ist ein liberales
Lied, passend für den Zeitgeist – Das Volk siegte mit ihm bei
Valmy und Jemappes.

CAMBRONNE. Herr Obrist – »Liberal«? »Zeitgeist« – Die elende
Kanonade von »Valmy« und das jämmerliche Tirailleurge-
fecht von »Jemappes«? – Wissen Sie, wo wir stehen? Unter
den Waffen der großen Armee. Da gibt es keinen anderen
Liberalismus als Ihm zu gehorchen, keinen anderen Geist als
den Seinigen, keine anderen Gefechte als die à la Kairo,
Austerlitz, Jena und der Moskwa.

LABÉDOYÈRE. Weh, ich habe mich geirrt, – ich dachte, endlich
die freisinnige Zeit, von den Umständen selbst bedungen,
leuchten zu sehen, und es blinken schon wieder nichts als
Bajonette, Säbel, Kürasse und Kanonen.

CAMBRONNE. Sehen Sie, Herr Obrist, ein wenig an den Schwadronen und Bataillonen dieser Schnauzbärte hinunter, und
zeigen Sie mir unter ihnen einen, dem der Kaiser nicht lieber
ist, als alle die zeitgeistigen Phrasen.

BERTRAND. Mein junger und tapferer Labédoyère, – verzagen
Sie nicht ganz, halten Sie sich an den Kaiser – Er kann die
Welt eher umgestalten als die Welt ihn, und ich versichere, er
hat in seiner großen Brust auch einen Platz für Ihren Liberalismus, und schützt und fördert ihn da, wo er des Schutzes und
der Förderung wert ist.

CAMBRONNE. Der Kaiser erwacht!

EIN OFFIZIER. Nun bin ich neugierig, was er zu den preußischen
Batterien sagt, deren Auffahren er verschlief.

NAPOLEON *(steht auf, – der Mantel, welcher ihn bedeckte, fällt zur
Seite)*. Alles wie ich befohlen?

BERTRAND. Jedes Regiment an seinem Posten.

NAPOLEON. Was ist das dort?

BERTRAND. Sire, preußische Batterien.

NAPOLEON. Albernes Zeug, – die sollen die feindliche Armee
maskieren und sind zu weit vorgerückt. Sie haben nicht Zeit
zum Schuß, fällt man ihnen in die Flanke. Das fünfundfünf-
zigste Regiment am rechten Flügel tue das, im Geschwind-
schritt, – zwei Kürassierschwadronen begleiten es.

VITRY. Chassecœur, er ist wach!

CHASSECŒUR. Man merkt es: das Regiment und die Kürassiere
marschieren, die Batterien jagen zurück, und da – sehen wir
die ganze preußische Armee.

VITRY. Was wohl die Offiziere, welche hier eben schwatzten,
davon halten?

NAPOLEON. Generalkommandant der Artillerie –
DROUOT *(tritt vor.)* Sire –?
NAPOLEON. Die preußischen Kolonnen entwickeln sich – Ligny
    ist die Mitte und der Schlüssel ihrer Schlachtordnung – mer-
    ken Sie sich das – – Und nun lassen Sie uns anfangen.
DROUOT. Sie befehlen – *(Zu der Artillerie.)* Abgeprotzt!
    (Es geschieht.)
    Jener Zwölfpfünder den Signalschuß!
    *(Der Zwölfpfünder wird abgefeuert. Sofort donnern auch alle
    französischen Batterien, Heergeschrei, Trommeln, Trompe-
    ten, Janitscharenmusik dazwischen. Infanterie und Kavallerie
    rückt vor, nur die Garde bleibt stehen. Die Preußen bewegen
    sich gleichermaßen unter gewaltigem Artillerie- und Kleinge-
    wehrfeuer den Franzosen entgegen.)*
NAPOLEON. Ha! meine Schlachtendonner wieder – – In mir wird's
    still – – – *(Er schlägt die Arme übereinander.)*
CAMBRONNE. Wer sollte sich nicht freuen, der ihn jetzt sieht? –
    Welche Ruhe, welche stillglänzende Blicke!
BERTRAND. Ja, nun ist's mit ihm als stiegen heitere Sommerhim-
    mel in seiner Brust auf, und erfüllten sie mit Wonne und
    Klarheit. Still und lächelnd wie jetzt, sah' ich ihn in jeder
    Schlacht, selbst bei Leipzig.
NAPOLEON *(für sich).* Josephine – Hortense – Das Etui – – Und
    mein Sohn!
ADJUTANTEN *(sprengen heran).* Rechts, bei Sombref, drängen
    uns die Preußen zurück.
NAPOLEON. Die zurückgedrängten Truppen sollen sich an den
    rechten Flügel der Garde schließen.
    (Kanonenkugeln schlagen in die Erde.)
VITRY *(ergreift einige und wirft sie fort).* Canaillen, ihr könntet
    rikochettieren!
NAPOLEON. Wie heißt du?
VITRY. Philipp Vitry.
NAPOLEON. Du bist Hauptmann.
CHASSECŒUR. Gift und Tod, was hat der Kerl für Glück.
VITRY. Sire, trauen Sie mir Ehre zu?
NAPOLEON. Hätt' ich dich sonst zum Hauptmann gemacht?
VITRY. So versichr' ich auf meine Ehre, hier dieser Chassecœur
    verdient eher Hauptmann zu sein als ich. Er dient schon seit
    Quiberon und rettete bei Leipzig einen Adler – Bitte, Sire,

lassen Sie mich Gemeiner bleiben, und ernennen Sie ihn statt meiner zum Hauptmann.

NAPOLEON. Ihr seid beide Hauptleute.

CHASSECŒUR. Mein Kaiser, wobei?

NAPOLEON. In meiner Suite.

EIN FLÜGELADJUTANT *(sprengt heran).* Graf Vandamme muß das eben von ihm genommene St-Amand wieder räumen. Die Preußen sind zahllos und wütig wie die Teufel.

NAPOLEON. Ob die Preußen St-Amand oder Otaheiti haben, ist in diesem Augenblick gleichgültig. – Aber melden Sie Vandamme: es wäre mir lieb, wenn er durch wiederholte hartnäckige Angriffe den Feind glauben machte, ich hielte etwas auf die Stellung. Blüchers Generalstab wär' imstande die Position bei Ligny wegen St-Amands noch mehr zu schwächen, als er schon getan hat.

(Der Flügeladjutant ab.)

Ordonnanzen zu Gérard: daß er bei Ligny allmählich auch die Truppen der schweren Waffengattungen in das Gefecht führt.

(Mehrere Ordonnanzen ab.)

EIN FUSSGARDIST *(wird von einer Kugel getroffen).* Jesus Maria!

NEBENSTEHENDE KAMERADEN. Karl wird fromm!

WIEDER EIN GARDIST *(dem eine Kanonenkugel den Leib aufreißt).* Es lebe der Kaiser!

GARDE UND HEER. Er lebe!

NAPOLEON. Diese Kugeln kommen von Sombref. Vier Reservebatterien vor, unsre von dorther weichenden Truppen besser zu bedecken.

EIN ADJUTANT *(hervorspringend).* Der Fürst von der Moskwa bittet um Hülfe. Die englische Armee enfiliert mit ihm bei Quatrebras eine Schlacht.

NAPOLEON. Der Fürst von der Moskwa ist ein – Sie, mein Herr, melden ihm: ich wüßte, Wellington tanze noch in Brüssel, und er, der Marschall Ney, hätt' es nur mit dem englischen Vortrab zu tun. Nicht erschrecken soll er sich von ihm lassen, – kühn zurückwerfen, oder doch aufhalten, bis ich hier gesiegt habe, soll er ihn. Dann läuft er von selbst.

(Der Adjutant ab.)

Daß doch die meisten Menschen Aug' und gesunde Vernunft verlieren, sobald sie das Glück haben, mit zwanzig- oder drei-

ßigtausend Mann selbständig auf dem Schlachtfelde zu stehen. *(Zu mehreren Adjutanten.)* Schnell zum General Erlon.
Er trenne und bedrohe mit seinem Corps zwischen Quatrebras und St-Amand die Engländer und die Preußen, – er
schont aber seine Truppen, oder Bülow möchte bei St-
Amand ankommen; wäre das, so stürzt er ihm entgegen.
*(Adjutanten ab. Zwei andere sprengen noch hintereinander
heran.)*

ERSTER ADJUTANT. General Gérard nimmt Ligny mit dem Bajonett –

ZWEITER ADJUTANT. Die Preußen treiben ihn Schritt vor Schritt
wieder hinaus –

NAPOLEON. Drei Voltigeurregimenter sollen sich debandieren,
und dort die Preußen überall, von jedem Vorsprung, jedem
Fenster her, beängstigen helfen.
(Adjutanten ab.)

EIN ADJUTANT *(jagt herbei)*. Zwischen St-Amand und Ligny wird
es schwarz wie die Nacht von sich anhäufender feindlicher
Kavallerie.

NAPOLEON. Die reitende Artillerie mit Kartätschen wider sie
vor.
*(Reitende Artillerie jagt vor und schießt, kommt aber gleich
darauf in Eile und Unordnung zurück.)*
Was? Der wilde Blücher bricht doch los? – Milhauds Küras-
siermassen auf ihn ein.
(Milhauds Kürassiere stürmen los.)

EIN OFFIZIER. Ah, wie leuchtet und klirrt auf einmal die Luft von
gezückten Schwertern.

EIN ANDERER OFFIZIER. Und horch, jetzt treffen sie Blüchers
Horden – Wie ingrimmig und gräßlich wiehern die gegenein-
ander kämpfenden Pferde!

NAPOLEON. Bertrand, was sagst du zu der Schlacht?

BERTRAND. Die Preußen fechten besser wie bei Jena.

NAPOLEON. Geschlagen werden sie doch, nur ein paar Stunden
später.
(Adjutanten kommen.)

ERSTER ADJUTANT. Milhauds Kürassiere treiben die feindliche
Reiterei zurück –

ZWEITER ADJUTANT *(später)*. Blücher erholt sich und Milhaud
weicht –

NAPOLEON. Pajols Reiter dem Milhaud verhängten Zügels zu
Hülfe.
(Adjutanten ab.)
Ha, da einer von Gérard mit siegtrunkenem Antlitz – Wie bei
Ligny?

DER HERANSPRENGENDE ADJUTANT. Die westliche Seite ist unter
unsren Kolben, und ganz Europa entreißt sie uns nicht
wieder!

NAPOLEON. Ein Pferd! *(Es wird ihm ein Pferd gebracht, und er
setzt sich auf.)*

VITRY. Chassecœur, nun muß die Garde daran, – der Feind ist
mürbe.

CHASSECŒUR. Mürb' oder hart, die Garde macht ihn zu Brei.

NAPOLEON. Lieber Drouot, ein Kreuzfeuer des schwersten
Geschützes auf Lignys Ostseite.

DROUOT. Wehe dem Mutterkinde, das noch darin ist! – Schwere
Artillerie marsch! *(Mit der schweren Artillerie ab.)*

NAPOLEON. Cambronne, alle Garden zum Sturm auf Ligny!

CAMBRONNE. Alte und junge Garden, zu Pferd und zu Fuß: den
Kaiser salutiert!

DIE OFFIZIERE DER GARDE *(den Befehl Cambronnes weiter
rufend).* Den Kaiser salutiert!

DIE GARDE *(salutierend).* Der Kaiser hoch!

CAMBRONNE. Und nun Bajonette gefällt, Säbel geschwungen, –
unser der letzte Trümmer von Ligny, oder der Tod! *(Ab mit
der Garde.)*

NAPOLEON Estafetten nach Paris: ich hätte gesiegt, – während
Blücher mir mit seiner Reiterei meinen linken Flügel habe
zerbrechen wollen, hätt' ich sein Zentrum durchbrochen, und
so weiter, wie jedes Auge es hier sieht. Zugleich der Munizi-
palität durch den Moniteur angedeutet, sie möchte mit Ab-
nahme der Vormundschaftsrechnungen nicht so nachlässig
sein, wie im vorigen Jahr, oder mein Zorn träfe sie ärger als
die Preußen.
*(Adjutanten und Ordonnanzen ab. Sombref, Ligny, St-
Amand lodern vor der französischen Schlachtlinie in lichten
Flammen, – hinter ihr Quatrebras, Pierrepont, Frasnes, Gémi-
noncourt und andere Ortschaften ebenso.)*

NAPOLEON *(sieht sich nach den Feuersbrünsten um).* Ist's nun
meine Schuld, daß ich mit einem unermeßlichen, weit und

weiter sich ausdehnenden Flammendiadem, wie dieses, meine Stirn schmücken muß? Oder ist es das trübselige Fünkchen, die elende Ächtungsakte von Wien, welche diesen Weltbrand veranlaßt?

ADJUTANTEN *(heransprengend).* Sire, Drouots Batterien haben auch die Ostseite von Ligny zu Staub gemacht – sie schweigen, weil die Garden schon über die Trümmer vorrücken, – nur einzelne preußische Jäger stecken noch hier und da hinter Hecken und Gräben.

NAPOLEON. Ligny ganz mein! – Das Tor Europas ist erbrochen und ich stürme hindurch bis –

BERTRAND *(für sich).* Da spiegeln die goldglänzenden Kuppeln von Moskau sich schon wieder in seinem Auge.

NAPOLEON. Den schwarzen Krepp von den Legionsadlern, daß sie die wieder aufsteigende Sonne des Sieges sehen! *(Zu Adjutanten und Ordonnanzen.)* Grouchy verfolgt mit seinem Corps die Preußen – unter ihm noch Vandamme und Pajol mit ihren Heerteilen, – er kann nicht rasch und kühn genug sein, darf sich durch keine Demonstration, keine Position aufhalten lassen.

(Viele Ajutanten und Ordonnanzen ab.)

Wir, Bertrand, besehen einige Augenblicke das Schlachtfeld, und dann mit der großen Armee links, um mit Ney den Vortrab der Engländer auf ihre Hauptmacht zu werfen, diese zu vertilgen, und übermorgen in Brüssel zu schlafen. *(Napoleon, Bertrand und die kaiserliche Suite ab.)*

Fünfter Aufzug

Erste Szene

Abend. Ein Hotel in Brüssel. Viele große Säle, prächtig erleuchtet.

Herzog von Wellington mit Gefolge, Damen und Offiziere höchsten Ranges darunter, tritt ein. Der Herzog von Braunschweig kommt etwas später, den sogenannten »Schwarzen Becker«, seinen Kammerdiener, zur Seite. Er setzt sich in eine Nische des vordersten Saales. Der Schwarze Becker bleibt neben ihm stehen.

HERZOG VON BRAUNSCHWEIG. Becker, hast du alle meine Papiere in Ordnung?

SCHWARZER BECKER. Ja, Eure Durchlaucht.

HERZOG VON BRAUNSCHWEIG. Du bist ein braver Kerl, sorgst wohl zuerst für dich, dann aber zunächst für mich – Mehr kann man von einem Menschenkinde nicht verlangen –

SCHWARZER BECKER. Herr Herzog –

HERZOG VON BRAUNSCHWEIG. Laß das gut sein – So braun dein Gesicht, und so schwarz dein Haar ist – du bist mir lieber als viele der Herren, welche mich in Braunschweig bei meiner Rückkehr mit ihren nichtssagenden Fratzen und wohlfrisierten Perücken devotest empfingen, und dennoch mit – und mit den – unter einer Decke spielen möchten. Schwarzer Becker, vernichte jedes Papier, von dem es dir nicht gut scheint, daß es an das Licht komme – die alten Korrespondenzen mit – – – –, und Gott weiß, mit wem sonst noch – fort damit! 's ist alles Lumpenzeug.

SCHWARZER BECKER. Sie befehlen Durchlaucht.

HERZOG VON BRAUNSCHWEIG. Becker, ich falle bald – mir sagt's die Ahnung so deutlich, daß ich nicht zweiflen mag. Es tut mir leid um meinen unmündigen ältesten Jungen, – man wird ihn vielleicht so – – und sich in solche Schaffelle zu kleiden wissen, daß, wenn er in die welfischen Brausejahre kommt und mündig wird, und dann den ganzen Spuk der ausheimischen, einländischen und persönlichen Interessen erblickt, er glaubt noch toller werden zu dürfen, als die, welche – – Wenn ich nicht mehr bin, Becker, so laß dich nicht im Braunschweigi-

schen nieder, – gib dann das wild bewegte Leben auf, heirate
irgendwo anderwärts eine tüchtige Person, und denke bisweilen an mich, wenn du recht glücklich bist.

SCHWARZER BECKER. Herzog –

HERZOG VON BRAUNSCHWEIG. Laß das Weinen. Nichts verla-
chenswerter. – Ich sage dir, in diesen Tagen fall' ich –

SCHWARZER BECKER. Durchlaucht, gewiß Phantasien –

HERZOG VON BRAUNSCHWEIG. Mag sein, aber immer noch besser
als Wellingtons Tanzlust – Er meint, er hätt' es mit einem
Jourdan zu tun – Bonaparte wird ihm den Unterschied
zeigen.

SCHWARZER BECKER. Bonaparte ist noch in Paris.

HERZOG VON BRAUNSCHWEIG. Leicht möglich und ebenso leicht
nicht. Er ist in der Regel da, wo man ihn nicht vermutet.

SCHWARZER BECKER. Durchlaucht, zerstreuen Sie Sich – Hören
Sie die Musik! Da das: God save the King!

HERZOG VON BRAUNSCHWEIG. Solang es dauert. – Sind die Braunschweiger bereit?

SCHWARZER BECKER. Immer unter Waffen.

HERZOG VON BRAUNSCHWEIG. Gut.

SCHWARZER BECKER. Durchlaucht, welch ein Schimmer von Uni-
formen – Da selbst der ehrliche Brite Picton in größtem
Staat – Und gar der Herzog von Wellington, der Prinz von
Oranien –

HERZOG VON BRAUNSCHWEIG. Der Herr Herzog halten immer den
Mund auf, und hören doch oft recht schwer. – Nehmen die
englischen Krebse sich nicht besser in acht, so müssen sie bald
nach gewohnter Manier zurück in die See, wie bei Corunna
und Vlissingen.

SCHWARZER BECKER. Da naht eine Damendeputation – Sie hat
uns an den Totenköpfen der Tschakos erkannt, und will Ew.
Durchlaucht mit Lorbeeren bekränzen.

HERZOG VON BRAUNSCHWEIG. Gehe zu den Damen, mache deine
höflichsten Verbeugungen, und sag' ihnen: ich dankte für die
Ehre.

SCHWARZER BECKER. Wie Ew. Durchlaucht gebieten. *(Er richtet
den Befehl des Herzogs mit größter Höflichkeit aus, die Damen ziehen sich zurück, und er geht wieder zum Herzog.)*

HERZOG VON BRAUNSCHWEIG. Schaffe mir einen Whisky.
(Der schwarze Becker geht und bringt den Whisky.)

EIN ENGLISCHER ARTILLERIEOBRIST *(eine junge Dame hereinführend).* Adeline – Was ich so lange in Londons ersten Zirkeln gesucht, – hier, auf dem Feldzug, find' ich es auf einmal in dir – entzückender Schönheitsglanz und unversiegbare Liebe.

ADELINE. Wer weiß, wie viele herrlichere Blumen du vorbeigingst, ohne sie zu sehen, und wie zufällig dein Blick grade auf mich fiel.

ARTILLERIEOBRIST. Nein, nein, – kein Zufall – Mein guter Genius selbst führte mich in deine bräutlichen Arme.

ADELINE. Siehe dort die Fürstin Ligne, die Herzogin von Chimay, die Gräfinnen von Barlaymont, und so manche andere – Welche Gestalten! welche Grazien! Welch überreicher Schmuck strahlt von ihrem Haar und Gewand, und wie armselig ist er gegen sie selbst! – Edward, es ist unmöglich, daß du mich liebst, wenn du solche Göttinnen siehst.

ARTILLERIEOBRIST. Deine Bescheidenheit ist göttlicher als all jener Prunk. – Oft schrien die ehernen Stimmen der Geschütze um mich, flogen Pulverwagen, Reiter und Pferde, Ingenieure und Bombenkessel in meiner Nähe auf, – an keine Dame Europas hätt' ich gedacht in dem Getümmel, – aber an dein Auge gewiß, ja an die Spitze deines kleinen Fingers.

ADELINE. Edward, nimm den Abschied – mache den Feldzug nicht mit.

ARTILLERIEOBRIST. Es kommt zu keinem Feldzug, Geliebte. – Der Korse scheint keine Armee zusammenbringen zu können – Wir marschieren wohl ohne Aufenthalt nach Paris –

ADELINE. Ach, wären wir auf deiner Stammburg, in den grünenden Auen von Sheffield!

ARTILLERIEOBRIST. Der Prinz von Oranien faßt die Hand der Fürstin Ligne, Wellington die der Herzogin von Chimay – Alles arrangiert sich – Der Ball beginnt – Horch! die Musik braust los, ein Ätna feuersprühender Töne – Treten wir in die Reihen.

ADELINE. Musik! Musik! – Was rufen all die Töne? – mir nichts als deinen Namen! *(Der Artillerieobrist tritt mit Adeline in die Tanzreihen.)*

HERZOG VON BRAUNSCHWEIG. Noch einen Whisky, Becker.
(Der Schwarze Becker holt den Whisky.)

SCHWARZER BECKER. Da beginnen sie eine Galoppade.

HERZOG VON BRAUNSCHWEIG. Wer weiß, ob nicht schon die
Kürassiere des Milhaud hieher galoppieren.
HERZOG VON WELLINGTON. Lauter die Musik! – Herzogin, Sie
glühen – Der Tanz greift Sie an.
HERZOGIN VON CHIMAY. In den Armen des Siegers von Sala-
manca nimmer.
(Dumpfe, aber sehr entfernte Töne.)
HERZOG VON BRAUNSCHWEIG *(springt auf)*. Becker, was ist das?
SCHWARZER BECKER *(aus einem Fenster sehend)*. Ein Gewitter
zieht auf.
(Wieder entfernte, immer lautere Töne.)
HERZOG VON BRAUNSCHWEIG. Gewitter? Gewitter? – Ob aber am
Himmel oder auf der Erde? – Melde Wellington, ich glaubte
Kanonenschüsse zu hören.
SCHWARZER BECKER *(geht zu dem Herzog von Wellington)*. Der
Herzog von Braunschweig vernimmt Kanonenschüsse –
HERZOG VON WELLINGTON. Ei, woher denn? – Hält er etwa diese
Pauken oder die Donner des Unwetters dafür? – Vorwärts
der Tanz! – Napoleon ist noch in Paris, oder daraus wieder
nach Süden vertrieben. – Seine paar Bataillone bei Charleroi
haben keine Kanonen, und unsere überstarken Avantgarden
sind Blücher bei Ligny und meine Truppenteile bei Quatre-
bras – Vorwärts der Tanz!
SCHWARZER BECKER *(zu dem Herzog von Braunschweig zurück-
kehrend)*. Wellington hält die Töne nicht für Kanonen-
schüsse.
(Lautere und stets lautere Klänge.)
HERZOG VON BRAUNSCHWEIG. So kenn' ich sie besser als der Herr
von Ciudad Rodrigo – Es sind die Klänge, unter denen mein
Vater fiel! Ein schlechter Sohn, der sie hört und nicht von
Rache entflammt ihnen entgegenstürzt – Folge mir! *(Mit dem
Schwarzen Becker ab. Gleich darauf die Alarmmusik der
Braunschweiger.)*
HERZOGIN VON CHIMAY. Hören Sie – ?
HERZOG VON WELLINGTON. Ruhig, Beste, so schön Ihnen auch die
Unruhe steht. – Der Braunschweig hat seine kriegerische
Laune, läßt Alarm schlagen, und übt seine Truppen in der
Wachsamkeit.
(Immer nähere Kanonenschüsse.)
ADELINE. Wehe, was donnert da? – Das sind doch nicht – Da
schreckt auch der Herzog auf!

ARTILLERIEOBRIST. Adeline, – vor deinem forschenden Blick kann ich nicht lügen – Du hörst – o Gott – feindliche Kanonen!

ADELINE. Jesus Christus! – Wie hast du dich geirrt – Napoleon marschiert doch heran!

ARTILLERIEOBRIST. Wer könnte in ihm sich nicht irren? Er ist wie ein neuer plötzlich aufgetauchter, unerforschter Erdteil –

ADELINE. Oh, wer stürzt da herein? – Das sind nicht Menschen – Das sind Teufel.

(Adjutanten Blüchers stürzen in die Szene.)

ARTILLERIEOBRIST. So nenne sie nicht – preußische Kameraden sind's, noch schwarz vom Pulverdampfe der Bataille.

EINER DER PREUSSISCHEN ADJUTANTEN. Wo der Herzog Wellington?

EIN ENGLISCHER OFFIZIER. Dort steht er.

PREUSSISCHER ADJUTANT. Durchlaucht –

HERZOG VON WELLINGTON. Sie kommen?

PREUSSISCHER ADJUTANT. Aus der Schlacht.

HERZOGIN VON CHIMAY. Also dennoch – ?

HERZOG VON WELLINGTON. Ruhig, ruhig, Herzogin!

HERZOGIN VON CHIMAY. Unmöglich, Herzog – Selbst Ihr Befehl bezwingt meinen Schrecken nicht – Wie stäubt der Ball auseinander –

VOLK *(auf der Straße)*. Der Feind! der Feind! er kommt! er kommt!

HERZOGIN VON CHIMAY. Gott! ganz Brüssel in Bewegung!

VOLK. Der Feind! der Feind! Brüssel brennt schon! Feuer! Feuer! Feuer!

HERZOG VON WELLINGTON. Madame, trauen Sie diesem tollen Straßengeschrei nicht – Aber fahren Sie zu Haus, – eine zahlreiche Sauvegarde begleitet Sie.

(Herzogin von Chimay ab.)

PREUSSISCHER ADJUTANT. Herzog, Napoleon erschien mit seiner Armee urplötzlich vor Ligny, Ney vor Quatrebras –

HERZOG VON WELLINGTON. Feldmarschall Blücher und mein Vortrab?

PREUSSISCHER ADJUTANT. Sind beide geschlagen, und ziehen sich hieher zurück.

HERZOG VON WELLINGTON. Was meint der Feldmarschall?

PREUSSISCHER ADJUTANT. Er hofft, Ihr Heer vor Brüssel schlag-
fertig aufgestellt zu finden, sonst schlägt er die zweite
Schlacht auch ohne es.

HERZOG VON WELLINGTON. Bülows Corps?

PREUSSISCHER ADJUTANT. Hat an der Schlacht nicht teilgenom-
men, und stößt bald zu uns.

HERZOG VON WELLINGTON. Und Blücher kommt, wenn ich stand-
halte?

PREUSSISCHER ADJUTANT. Er sagte es.

HERZOG VON WELLINGTON. So glaub' ich es. – Sagen Sie ihm, Sie
hätten mich leider in erbärmlichen Tanzschuhen getroffen,
die ich leichtsinnig genug angezogen, – aber ich wollte selbst
dieser Schuhe nicht wert sein, träf' er mein Heer nicht in
Schlachtordnung vor dem Walde von Soignies.
(Die preußischen Adjutanten ab.)
Alarm! Alarm! Alle Truppen vorgeschoben nach Waterloo!

ARTILLERIEOBRIST. Geliebte –

ADELINE. Bleibe!

ARTILLERIEOBRIST. Darf ich? – Schon rasseln meine Batterien
über das Pflaster!

ADELINE. Oh, diese Räder – Sie gehen durch mein Herz!

ARTILLERIEOBRIST. Adeline, auch durch das meinige – Doch
ich muß, ich muß – Wehe mir, die Rosenhimmel der Liebe
auf deinen Wangen erbleichen – Welch ein schmerzliches
Bild nehm' ich mit in den Kampf – – Lebe wohl! Vielleicht
sehn wir uns wieder! – Diener, meine Braut zu ihrer Mutter
geführt!
*(Ab. – Adeline, in Ohnmacht, wird fortgeführt. – Draußen
marschiert Kavallerie, Artillerie, Infanterie, unter letzterer)*

DIE HOCHLÄNDISCHEN REGIMENTER *(singend unter Begleitung der
Sackpfeife).*

>   Clan Douglas, Clan Douglas,
>   Die Mutter, sie weint –
>   Was »weint«!
>   Dort trotzet der Feind!
>
>   Clan Douglas, Clan Douglas,
>   Fluß Avon blinkt schön –
>   Was »schön«!
>   Die Sachsen dran stehn!

    Clan Douglas, Clan Douglas,
Wie stürzt er Berg ab –
    Was »ab«!
Wir kühn in das Grab!

    Clan Douglas, Clan Douglas
Was jammert die Braut –
    Was »Braut«!
Der Feind ist schon laut!

    Clan Douglas, Clan Douglas,
Wie steil unser Stieg –
    Was »Stieg«!
Zu Rache und Sieg,
    Clan Douglas, Clan Douglas, Clan
        Douglas!

HERZOG VON WELLINGTON. Wetter, die Bergschotten sind eine brave, treue Nation, – Lieder auf die sächsischen Eroberer de anno 500 nach Christi Geburt begeistern sie noch heute gegen die Franzosen. – – Meine Herren vom Generalstabe: Bonaparte hat uns getäuscht und überrascht, aber das alles läßt sich gut machen durch Festigkeit. Wir waren eben im Tanz begriffen, und sehr heiter, – seien wir in der Schlacht auch so, und die Franzosen sollen bestürzt aussehen, wenn sie ihre Erbfeinde nicht im Tanz, sondern gewaffnet und ruhig sich gegenüber erblicken. Verteilen Sie sich in den Cantonnements, sorgen Sie, daß jeder Befehlshaber seine Schuldigkeit tut. Ja keine Unordnung unter den Truppen, – die strengste Disziplin geübt, – aber den Leuten Lebensmittel gegeben, so viel aufzutreiben. Adieu! *(Ab, – die Offiziere gleichfalls.)*

ERSTER AUFWÄRTER. Abgeräumt – Das Volk ist fort.

ZWEITER AUFWÄRTER. Alle Reste in die Tasche – Da Kuchen über Kuchen –

ERSTER AUFWÄRTER. Halbvolle Weinflaschen stehen dabei. Nehmt und trinkt sie aus mit den Hausmamsellen. *(Für sich.)* Ah, da find' ich eine Brillantnadel –

ZWEITER AUFWÄRTER. Himmel, wie das marschiert und trottiert!

ERSTER AUFWÄRTER. Ich hoffe, die Franzosen gewinnen doch. Ich sage lieber »Monsieur« als »Myn Her« oder »Ihro Hochedelmögenden«. – – Daß die Küchenmädchen die Teller bes-

ser putzen, keinen gelben Rand darum lassen, sonst soll die
Canaillen – – Hurtig, mit mir hinunter – Eine Menge Offiziere
sprengt vor die Haustür, und fordert noch einen Schluck, die
Courage zu begießen.
(Die Aufwärter ab.)

Zweite Szene

Heerstraße in der Gegend von Wavre.

*Die preußische Armee auf dem Rückzug. Blücher, eine lange
irdene Pfeife rauchend, und Gneisenau neben ihm, im Hintergrunde zu Pferde auf einem Hügel. Linie und Landwehr, hin und
wieder in Schwadrone oder Compagnien geordnet, meistens aber
aufgelöst, reiten und marschieren durcheinander. Artilleriezüge
und Fuhrwerke jeder Art darunter. Auf den Kanonen und Wagen
liegen und sitzen Verwundete und Gesunde. Jeden Augenblick
stürzen Marode. Aus der Ferne ununterbrochener Kanonendonner. Alles eilt vorwärts. Es regnet.*

DER TRAINKNECHT EINER KANONE *(zu seinen Pferden).* Hot – ha! –
   Fritz, hot – links liegt ein Verwundeter – Hans, ha – – rechts
   ein freiwilliger Jäger mit einem Hemde, so fein, daß einem
   das Herz weh tut, darüberzufahren.
DER BERLINER FREIWILLIGE. Dieses ist schrecklich erhaben – Ob
   mein Wasserpolacke tot ist?
DER OSTPREUSSISCHE FELDWEBEL. He, Berliner – wie geht's?
BERLINER. Sieh, der Herr Feldwebel – leben Sie noch? – Es
   schmerzt mir vor Freude.
FELDWEBEL. Auch immer frische Courage?
BERLINER. Courage? Weiter nichts? An die hab' ich mir bald
   gewöhnt. Es sind mich gestern tausend Kugeln um den Kopf
   geflogen, und keine traf mir. Geht das so fort, so bin ich bald
   gar nicht mehr vor mich bange.
FELDWEBEL. Das ist mir lieb – Adieu –
BERLINER. Herr Feldwebel –
FELDWEBEL. Nun?
BERLINER. Sie steht die große Nase, die Sie haben, sehr gut –
   Wahrhaftig, ich möcht' Ihnen damit auf dem Brandenburger
   Tore sehen, neben die Siegsgöttin, die jetzt wieder oben steht
   – Aber, Herr Feldwebel, ich muß Sie doch an etwas erinnern

– Die deutsche Sprache, wie ich sie bei Herrn Professor Heinsius gelernt, verstehn Sie nicht im mindesten. Es heißt nicht wie Sie sagen: »Es ist mir lieb« sondern: »Es ist mich lieb«.

FELDWEBEL. Weshalb?

BERLINER. Deshalb, Herr Feldwebel – – – Nämlich: sagen Sie nicht: »Mich wurde die Kuh gestohlen«? – He?

FELDWEBEL. Ich sage so ohngefähr.

BERLINER. Also? Verstehn Sie? – »Mich wurde die Kuh gestohlen« und »mich ist es lieb« – Das ist tout égal.

FELDWEBEL. Möglich – *(Geht weiter.)*

BERLINER. Daß diese arme Würmer aus der Provinz durchaus nicht das Deutsche richtig sprechen lernen, oft gar zweifeln, daß in diese Hinsicht nichts über die Residenzer geht!
(Feindliche Granaten und Haubitzen fallen, einige dicht neben dem Berliner. Er springt zurück.)
Daß dir der Donner! – Ganz gesund ist's hier nicht! – – Was hilft's aber! Ich bin im Tumult, und kann nicht hinaus – Und am Ende sind die Franzosen hinter die Königsmauer schlimmer, als die hinter uns – Ephrim! Ephrim! Was läufst du?

EPHRAIM. Ferdinand, su meine Cumpanie –

BERLINER. Die ist weit voraus.

EPHRAIM. Weit voraus? – O wär' ich dann doch so eher bei sie!

BERLINER. Ephrim! Hast einen Schuh im Dreck stecken lassen.

EPHRAIM. Laß ihn stecken, obgleich er kostet anderthalb Taler – Ach, halte mir nicht auf, lass' mir vorwärts, mein Jugendfreund!

BERLINER. Wir gehen ja vorwärts! – Wie kommt es, Ephrim, daß du deinen Namen wieder kennst? Vor zwei Jahre in Berlin sahst du dir bei dem »Ephrim« nicht um, – »Ibrahim, Ibrahim« hieß es bei alle deine Bekannte, Mutter, Schwester und Bruder.

EPHRAIM. Steckte der liebe Gott hier, er würde viel fragen, wie er hieße, sondern er nähme die Flügel des Sturmwindes und flöge vor die Geschosse davon wie ein Lämmergeier.

BERLINER. Spielt der kleine Moses auch noch immer »auf die Fleit«? Und hören eure »Leit« noch immer »su« mit offnem Maul und harten Ohren?

EPHRAIM. Wie kann ich hier wissen, was meiner Schwester Kind tut in die Hauptstadt?
(Kartätschenschüsse schmettern in das flüchtige Heer.)

Au wai, was ist alles Gold gegen einen Kartätschenschuß?

BERLINER. Ephrim, lauf doch nicht so – – Bist hungrig, Ephrim?

EPHRAIM. Ich bin es, ich bin es!

BERLINER. Ephrim, als wir noch auf die Schule gingen, betrogst du mir im Spiel um fünf Münzgroschen – Als ich sie nicht bezahlen wollte, sagtest du es meinem Vater, und ich bekam Prügel ärger als ein junger Gott.

EPHRAIM. Das ist nicht wahr, ist nicht wahr – irrst dir – eure Magd, eure Magd, die Lotte, hat es gesagt an deinen Vater – Sie hatte belauscht unser Spiel – Nie gestand ich, daß ich deinem Vater gesagt hätte von die Sache.

BERLINER. Daß du dieses nicht gestanden hast, Ephrim, glaub' ich dich aufs Wort – Willst essen, Ephrim?

EPHRAIM. Ja, ja, ja –

BERLINER. So siehe zu, wie du etwas bekommst, denn dieses Stück Rindfleisch –

EPHRAIM. Ist gut, ist gut – Her damit!

BERLINER. Ich will es lieber selbst essen, denn es ist nicht kauscher, Ephrim – es könnte dir um Vater Abrahams alten Schoß bringen und den gönn' ich dich allzusehr –

EPHRAIM. Schweinehund, ich bin wohl ein Jude –

BERLINER. Nicht ganz, nicht ganz – Dein blondes Haar verrät einen Christen, der zwischen deinem Vater und deine Mutter – na, Ephrim, du kennst ja die musikalischen Intermezzos aus die Visiten bei Mauschels kleinen Konzerten –

EPHRAIM. Du Hund, wenn ich auch bin ein Jude, bin ich doch ein Bürger und ein Berliner Freiwilliger wie du – da! *(Er gibt dem Berliner eine gewaltige Ohrfeige. Der Berliner will sie ihm grade wiedergeben, als eine Kanonenkugel dem Ephraim den Kopf abreißt.)*

BERLINER *(stürzt zur Seite)*. Ah, wie furchtbar rächt mir das Geschick! *(Sich wieder aufrichtend.)* Ephrim, warst doch ein guter Kerl – Bist ja tot! –
(Die verfolgenden Franzosen beschießen die preußische Armee heftiger und die Flüchtigen suchen sich rascher vorwärtszudrängen. Blücher und Gneisenau sprengen vor.)

GNEISENAU. Halt!
(Viele Soldaten eilen ohngeachtet dieses Kommandos weiter.) Steht, sag' ich, steht – Wer den Fuß rührt, eine Waffe wegwirft, wird auf der Stelle erschossen!
(Die Armee steht.)

BLÜCHER. Kerle, seid ihr furchtsamer als mein Gaul? Er bäumt sich vor Lust, da er Kanonen hört, und ihr lauft krummen Buckels davon?
(Französische Kugeln fallen dichter und dichter.)
GNEISENAU. Feldherr, das Gehölz da – es nistet sich feindliche Artillerie hinein –
BLÜCHER. So soll die unsrige sich nach ihr umgucken – Sie hat ohnehin mit ihren zerbrochenen Rädern Zeit genug.
BERLINER. Der Blücher ist göttlich!
BLÜCHER. Nun, Kanoniere, losgebrennt! – – Ich will mittlerweile sehen, ob ich dem Volk im Holze nicht einen Haufen Jäger unserer Arrièregarde in den Rücken werfe. – Du, Berliner –
BERLINER. Wie, Herr Feldmarschall, Sie kennen mir?
BLÜCHER. Ich sah dich vorgestern im Bivouac – Halt' einige Augenblicke meine Pfeife in Brand.
BERLINER. Nur einige Augenblicke? Viele Jahrtausende, wenn Sie befehlen.
BLÜCHER. Gneisenau, ich bin gleich zurück. *(Jagt fort.)*
GNEISENAU. Meine Herren Offiziere – Eifriger, eifriger! – Schneller, besser die Truppen geordnet – Unsre Leute sind tüchtig, stets so brav als ihre Anfuhrer. Vernichtete dieser Rückzug irgendeine Compagnie, die Schande fiele lediglich auf ihren Hauptmann.
BLÜCHER *(wieder heransprengend)*. Höre zu, Gneisenau – Die Jäger machen sich schon mit »piff« und »paff« in das Gebüsch –
GNEISENAU. Die Kanoniere hier waren auch nicht faul –
BLÜCHER. Wahrhaftig nicht, sie haben den »Quivives« so geantwortet, daß dieselben umkehren und die Schnauze halten, – unser Rückzug bleibt eine Stunde lang ungestört. – Meine Pfeife!
BERLINER. Hier, Herr Feldmarschall! – – Und darf ich bitten?
BLÜCHER. Ja.
BERLINER. Lassen Sie mir zu die freiwilligen Jäger, die da dicht mit dem Feinde scharmutzieren. Seit die Zeit, daß ich aus Ihre Pfeife rauchte, ist's mich, als hätt' ich mir an einem Vulkan vollgesogen, wie ein unmündiges Kind, und ich krepiere vor Schlachtwut, – denn außerdem daß mir dieses Rauchen begeistert hat, ist's zweitens klarer als ein reines Bierglas bei Wisotzky, daß mir hier die Franzosen unvermuteter

und eher treffen, als wenn ich die Halunken in das Gesicht
sehe, ihre mörderische Bewegungen observiere, mir hinter
einen Baum stelle, und, selbst ziemlich gesichert, sie zuerst
totzuschießen versuche.

BLÜCHER. Du bist ein klug-braver Kerl. Mache dich sogleich zu
den freiwilligen Jägern.

BERLINER. Dann, Herr Feldmarschall, brechen Sie ein Endchen
von Ihre Pfeife, und verehren Sie es mich!

BLÜCHER. Wozu?

BERLINER. Zum Andenken, und dann auch, um mir bei die
Jäger, da ich eine andere Uniform trage als sie, damit zu
legitimieren.

BLÜCHER. Da hast du es, toller Patron.

BERLINER. Sehr gut gesagt, sehr schön, wenn ich auch am Inhalt
des Ausdruckes zu zweifeln wage – Herr Feldmarschall, Sie
sollen von mir sehr viel hören, oder schlimmstens doch gar
nichts. *(Ab.)*

GNEISENAU. Feldmarschall, rechts Musik – jetzt der alte Des-
sauer – da »Uso voran« – und nun wieder ein neuer Walzer!

BLÜCHER. Gott sei gelobt, also endlich Bülow mit den Pommern!
Reit' ihm entgegen, und lies ihm wegen seines ordnungs-
widrigen Ausbleibens die Leviten.

GNEISENAU. Was helfen die bei ihm? – Er wiegt sich in den Steig-
bügeln, sieht sich in der Gegend um, und läßt die Vorwürfe
zum einen Ohr herein, zum andern hinaus.

BLÜCHER. Freilich, so tut er – Aber, bei Gott, der leichte Sinn,
welcher bei jedem Subalternen der Todesstrafe wert wäre, ist
nicht strafbar bei dem Helden von Dennewitz. Vielleicht ret-
tete er jüngst mit ihm Deutschland. Als wir 1813 noch immer
zweifelten, den Korsen, sobald er uns persönlich gegenüber-
stand, anzugreifen, rief er nichts als: »Hole der Kuckuck das
Zaudern! drauf los! den Versuch gewagt! ihr sollt sehen, er ist
einer Mutter Sohn wie wir!«

*(Gneisenau reitet zu Bülow, welcher, zu Pferde, mit seinem
Armeecorps unter Feldmusik in größter Ordnung in die preußischen Linien rückt.)*

BÜLOW. Guten Tag, lieber Gneisenau.

GNEISENAU. Bülow, des guten Tages bedürfen wir.

BÜLOW. Ihr seid abscheulich mitgenommen. – Was macht Blücher?

GNEISENAU. Dort hält er, gesund und frisch.

BÜLOW. Das freut mich. Er ist ein Degen, den weder Alter, Blut,
noch Wetter blind oder rostig machen. – – Sapperment, wie
ist eure Artillerie, Infanterie, Kavallerie in Wirrwarr! 'ne
wahre Höllenwirtschaft! – Und was von dort? Flintenschüs-
se? So nah habt ihr den Feind auf den Hacken?

GNEISENAU. Tirailleurgefechte –

BÜLOW. Meine Pommern machen bald aus den Gefechten wieder eine Schlacht. – Sieh' einmal die Teufelskerle an: beschmutzt bis über das Ohr, aber Gesichter frisch und kernig,
wie eben ausgeschältes Obst, und auf den Beinen munter, als
ging' es auf der Jakobsleiter zum Himmel – Ein Gichtbrüchi-
ger wird bei dem Anblick gesund. – Will die alte Garde des
Imperators Pommern fressen, bekommt sie harte Nüsse zu
knacken.

GNEISENAU. Du hast gut reden – Unsere Corps sind seit zwei
Tagen im Feuer – Deines gab noch keine französische Lunte.

BÜLOW. Im Feuer, Feuer – Feuer hätt' euch bei diesem Unwetter
erwärmen und erfreuen sollen. – Meine Leute prügeln sich
noch, wer von ihnen zuerst Napoleons Mörser erstürmt, sie
zu Kochkesseln zu gebrauchen.

GNEISENAU. Wir wollen das abwarten. – Der Feldmarschall hat
aber, wie ich dir im Ernst sage, im Sinn, dich vor eine Militär-
kommission zu stellen. Du mußtest gestern, der Ordre gemäß, bei Ligny sein, und *konntest* da sein, wenn auch später
als dir befohlen. Die Schlacht hätte eine andere Wendung
bekommen.

BÜLOW. Wahrhaftig, eine schöne andere Wendung! Abends, als
ihr schon geschlagen wart, und uns in der ersten Fluchtwut
angesteckt und mitgerissen hättet, wären wir eingetroffen,
vom übermäßigen Marsch marode, und leeren Magens dazu.
– Eh, ich hab' erst Mann und Pferd sich sättigen, alles Tritt
vor Tritt marschieren lassen, und da ist nun mein Corps,
tüchtiger als je. – Der Feldmarschall achtet die Vernunft
mehr als seine Ordres, und somit bin ich entschuldigt.

GNEISENAU. Bilde den Vortrab des Heeres – Ziethen stößt mit
der Masse der Reiterei gleich zu dir. Der Marsch geht über
Wavre nach den Waldhöhen von Soignies.

BÜLOW. Gut, mein Freund.

(Gneisenau ab.)

Tambours, den Armeemarsch! – So! – – Und nun einen
Kirchmeßwalzer, Hautboisten! – – Brave pommersche Jungen, ist's nicht als wären wir auf einer Bauerhochzeit bei
Pasewalk? Gibt's etwas Lustigeres als einen Feldzug? *(Er und
die Pommern ziehen weiter.)*

GNEISENAU *(wieder neben Blücher)*. Feldmarschall, der Bülow
spricht und denkt über sein spätes Eintreffen so wie ich vermutete –

BLÜCHER. Aber sein Corps?

GNEISENAU. Ist in einem herrlichen Zustande.

BLÜCHER. Das ist die Hauptsache, und ich nehm' ihm sein gestri-
ges Ausbleiben nicht übel. *(Zu dem Heere.)* Kameraden, gestern sind wir mordmäßig geschlagen – Tröstet euch, und
schlaget die Franzosen morgen mordmäßiger wieder. – Die
Engländer warten auf uns vor dem Walde von Soignies. Kommen wir bei ihnen nicht zeitig an, so sind sie verloren, kommen wir zeitig, so helfen wir ihnen mitgewinnen. – Also,
dreist in diesen Dreck getreten, wir treten so früher auf die
gebohnten Dielen des Louvre – – – Hölle, was für Physiogno-
mien sitzen ganz behaglich in ihren großen Halstüchern auf
jenen Feldwägen?

GNEISENAU. Feldchirurgen.

BLÜCHER. Herunter mit den Balbiergesellen, in den Kugelregen
mit dem Volk, daß es dort die Verwundeten verbindet, und
hier ihnen Platz macht – – Ein paar gute Schuster mit tüchtigen Gesellen wären dem Heere nötiger als dieses ganze in Eil'
aufgeraffte Feldscherergesindel.

EIN HERANSPRENGENDER ADJUTANT. Die Franzosen drängen sich
näher und näher in unsren Rücken –

BLÜCHER. Nur nicht allzu bestürzt, – sie können uns ja desto eher
in – – Melden Sie so etwas der Arrièregarde. Der Sieg liegt
vor uns – Dorthin!
(Alle rücken weiter.)

Dritte Szene

Hohlweg vor dem Walde von Soignies. Mitten durch ihn die Straße nach Brüssel. Gebüsche auf beiden Seiten.

Diese, sowie die Ufer des Hohlwegs sind von Detachements englischer Linientruppen, englischer Jäger und hannoverischer Scharfschützen besetzt. Hinter der Schlucht auf den Höhen von Mont Saint-Jean steht das Gros des wellingtonschen Heeres, – rechts von ihr das Vorwerk Houguemont, – in einiger Entfernung vor ihr das Gehöft La Haye Sainte, etwas weiterhin das Haus La Belle-Alliance, und noch entfernter die Meierei Caillou, – links die Dörfer Planchenoit, Papelotte, Frichemont etc.

EIN ENGLISCHER JÄGER. Wie heißt diese Gegend?

EIN SERGEANT DER ENGLISCHEN JÄGER. Weiß nicht, James, – wir taufen sie bald mit Schlachtenblut.

JAMES. Ja, Sergeant. Schlacht gibt's. Die Vorposten sind darnach gestellt.

SERGEANT. Gott verdamme, jedesmal, wenn man mit den Franzosen zu tun hat, regnet's wie aus zerschlagenen Fässern. War's nicht auch in Spanien immer so?

JAMES. 's ist ja Suppenschlucker-Volk.

SERGEANT. Siehe, wie da einige von ihnen über den Dreck hüpfen, jämmerlich leicht wie die Kiebitze über den Sand.

JAMES. Warte, jenen naseweisen Leichtfuß, will ich mit einem schönen Stückchen Blei schwer machen.

SERGEANT. Prosit die Mahlzeit, James, – er riecht Lunte und versteckt sich hinter einer Erdhöhe.

DER AM HOHLWEG KOMMANDIERENDE ENGLISCHE GENERAL *(sprengt vor)*. Was ist das da linker Hand? Nebel, Dampf oder Feind? – Der verhenkerte Gußregen wäscht mir vor Aug' und Fernrohr alle Gegenstände durcheinander.

JAMES. Herr General, 's ist der gewöhnliche große Leichenqualm, der drei Tage lang vor der Schlacht auf den Feldern umherzieht.

SERGEANT. James, sei kein Narr – Es ist Nebel, General, aber sehr entfernt.

GENERAL. Hum – Der Nebel hält mir zu lange auf einem Fleck.

EIN HAUPTMANN DER HANNOVERISCHEN SCHARFSCHÜTZEN. Mein General –

GENERAL. Nun?

DER HAUPTMANN. Ich habe unter meiner Compagnie einen sech-
zehnjährigen Burschen von den Harzjägern – Er sieht und
schießt unglaublich weit –

GENERAL. Rufen Sie ihn.

DER HAUPTMANN. Fritz! Fritz!
(Fritz kommt.)
Was dort links für Nebel?

FRITZ. Nebel? Nebel? – Herr Hauptmann, ich sehe keinen. *(Er
wischt sich die Augen.)*

SERGEANT. James, der ist scharfsichtig!

JAMES. Wie eine Nachteule.

DER HAUPTMANN. Was siehst du denn eigentlich?

FRITZ. Das ist ja ganz deutlich. – Dort hält, tief in graue Mäntel
gehüllt, ein Regiment französischer Dragoner, und guckt mit
lauernden Katzenaugen hieher.

GENERAL. Dacht' ich's doch!

SERGEANT. Wenn der Junge nicht lügt, so ist –

JAMES. Er ist –

GENERAL. Das feindliche Gesindel will sich an uns nisten, um uns
recht sicher, zur ungelegensten Zeit, mit den Krallen zu
fassen.

FRITZ. Soll ich ihm zeigen, daß wir es sehen? Schieß' ich einen
heraus?

SERGEANT. Der Bengel ist toll. Auf diese Entfernung treffen –

JAMES. Wie gesagt, der Junge ist ein Kobold aus Norddeutsch-
land, und ein christlicher northumberländischer Jäger hütet
sich ihn anzublicken.

GENERAL. Schieß, Junge.

FRITZ. Wie gern! *(Er zielt kurze Zeit und schießt.)* Hahaha! Da
liegt des Königs Wildpret, sagt mein Vater, und erquickt
treuer Untertanen Beutel und Magen, wenn wir am Blocks-
berge ein Sechzehnender wilddieben.

GENERAL. Wer fiel?

FRITZ. Der Obrist, und die übrigen galoppieren davon, wie ein
Rudel Hirschkühe, wenn der Bock aus ihrer Mitte geschossen
wird.

GENERAL. Gott verdamme, der vermeinte Nebel zerstiebt auch
im Hui.

EIN ALTER HANNOVERISCHER SCHARFSCHÜTZ *(tritt vor)*. Verfluchter

Dachshund, infamer Köter, was belügst du mich, deinen Vater? Das Hirn schlag' ich dir ein! *(Zum General.)* Gnädiger Herr, wenn ich je mein Gewehr auf ein königliches Wild abgedrückt habe, will ich nie den Hahn auf eins gespannt – – Ach, kurz und gut, der Bengel lügt!

DER SCHÜTZENHAUPTMANN. Alter Borstenkopf, »wer sich entschuldigt, eh' man klagt« –

GENERAL. Beruhige dich, – triff du die Franzosen so brav wie dein Junge, und ihr seid dem Könige die liebsten Schützen in Schlacht und Wald.

FRITZ. Hussa, hinter uns vom Berge kommt wieder eine Menge Leute – Schieß' ich darein?

GENERAL. Bist du toll, Junge? – Das sind Linienbataillone von Mont Saint-Jean, uns zur Hülfe geschickt.

FRITZ. O dürft ich nur immer schießen – Der Pulvergeruch ist mir nun einmal in der Nase.

GENERAL. Was saust?

SERGEANT. Eine bonapartische Paßkugel – Da schlägt sie in den Baum.

GENERAL. Fritz, nun schieß, schieß in die Franzosen, so lang Atem und Pulver nicht ausgehn – *(Laut.)* Alles an die Ufer des Hohlwegs – Büchsen und Flinten frisch geladen, – den Flinten die Bajonette aufgeschraubt! – Donner, da drängen sie sich schon herein – Feuer!

EIN FRANZÖSISCHER HAUPTMANN *(an der Spitze der sich in den Hohlweg stürzenden Kolonne).* Laßt sie schießen, Kameraden! Hört ihr die Paßkugeln über uns, und seht ihr, wie sie dem Feinde Pferd und Mann hinschmettern? Sie kommen aus französischen Geschützen und sind die gewaltigen, helfenden Begleiter, aus der Ferne uns nachgesandt von dem Kaiser!

EIN ANDRER FRANZÖSISCHER HAUPTMANN. Schurke der, welcher einen Schuß tut, bevor wir diesen Chausseerand erklettert haben.

EIN ENGLISCHER LINIESOLDAT. Wächst das Volk aus dem Boden wie die Ameisen? – *(Einen der am Chausseerande emporgekletterten Franzosen mit dem Bajonett durchbohrend und wegschleudernd.)* Zurück, du Hungerleider!

EIN FRANZÖSISCHER SOLDAT *(vor Wut schäumend, schwingt sich auf die Höhe des Chausseerandes und wirft den Engländer auf*

die Bajonette der ihm nachdringenden Franzosen). Und an
den Spieß, du Sattfresser! – – Mir nach – mir nach –

FRANZÖSISCHE ADJUTANTEN *(sprengen heran).* Im Namen des
Kaisers: zurück! Er sieht eine Überzahl englischer Linie und
Artillerie sich gegen euch vom Berge stürzen – Zurück auf
einige Augenblicke –

DIE FRANZOSEN. Beefsteaks, wir kommen wieder! *(Sie ziehen
sich unter stark erwiderten Gewehrsalven zurück.)*

EIN ENGLISCHER OBRIST *(zu seinem Adjutanten).* Was für Flammen glänzen rechts hoch aus diesem Rauch?

DER ADJUTANT. Der Lage nach das brennende Houguemont.

DER OBRIST. Auch das schon? – Die Schlacht wird allgemein.

ADJUTANT. Sie ist es. Schauen Sie, La Haye Sainte lodert auch
schon. – Ha, was da?

OBRIST. Das ohrzerschneidende Geschrei unserer Verwundeten
– – Himmel, warum steht das rechte Altengland da oben noch
stets ruhig unter den Waffen?

ADJUTANT. Der Herzog pflegt, wie er es nennt, seinen Augenblick zu erwarten.

OBRIST. Bonaparte ist erfinderischer und kühner: er schafft sich
nötigenfalls den Augenblick. – Ah, wieder Kugeln über Kugeln hieher! Der Feind vergißt uns nicht.

ADJUTANT. Herr Obrist, jetzt aber geht Altengland auf Mont
Saint-Jean auch los – Da – alle Batterien – Hören Sie!

OBRIST. Es ist, als rasselten alle Heerscharen der Hölle in eisernen Harnischen über unsere Häupter – Ha, und jetzt wettert
ihnen die Artillerie der Franzosen entgegen – Ohne feige zu
sein, bückt man sich unwillkürlich. – – Wahrlich, ich habe
noch keine Schlacht gekannt – Vittoria, wo man sich besinnen
und atmen konnte, war Kinderspiel – – Hier jedoch: meilen-
weit die Luft nichts als zermalmender Donnerschlag und er-
stickender Rauch, – darin Blitze der Kanonen, flammende
Dörfer, wie Irrlichter, immer verschwunden, immer wieder
da – der Boden bebend unter den Sturmschritten der Heere,
wie ein blutiges, ein zertretenes Herz, – Geschrei laut ausgestoßen, kaum vernommen – – Adjutant, das alles, weil dort
bei Caillou der kleine Mann steht? – Keine Antwort? – Gott,
er ist gefallen! – Und dort naht wieder der feindliche Vortrab
– Mir lieb – So flut' ich mit unter die tobenden Wasser, denn
einsam ruhig kann ich in diesem sturmempörten Ozean mich
doch nicht halten.

FRITZ. Vater, hier geht es ja gar nicht so her wie auf dem Exerzierplatz.

DER ALTE HANNOVERSCHE SCHARFSCHÜTZ. Dummer Junge, auf dem Exerzierplatz schießt man blind, aber hier hat alles geladen.

Vierte Szene

Die Höhen von Mont Saint-Jean. Auf ihnen Wellingtons Heer. Im Vor- und Mittelgrunde die Infanterie in Quarrées, – zwischen diesen die Artillerie, ununterbrochen feuernd, – im Hintergrunde, welcher von dem Walde von Soignies umgrenzt wird, die Reiterei und die Reserven. Französische Kanonenkugeln schmettern überall in die Heerhaufen.

Wellington mit seinem Generalstabe, neben ihm General Lord Somerset.

LORD SOMERSET. Ich beschwöre dich, Herzog, laß uns nicht weiter hier müßig stehen, und die braven Leute, ohne daß sie einen Finger an den Hahn der Flinte legen dürfen, hinschmettern von den Geschützen des Korsen.

HERZOG VON WELLINGTON. Unsere Kanoniere sind nicht müßig.

LORD SOMERSET. Aber alle andern Truppen sind's, – laß sie endlich die Bajonette fällen, die Säbel ziehen, und den gallischen Hähnen entgegenstürmen.

HERZOG VON WELLINGTON. Unmöglich – Europas, ja, des Erdkreises Schicksal schwebt in dieser Stunde auf dem Spiel – wir dürfen nicht eher wagen, bis wir des Erfolges gewiß sind, und ich fürchte, wenn Blücher nicht bald kommt, haben wir mit *Ihm bei Caillou* schon sehr viel gewagt.

LORD SOMERSET. O träf' ihn doch eine, eine von hunderttausend Kugeln, die dahinfliegen – – Herzog, sollen denn diese Höhen die riesenhafte Schlachtbank werden, auf welcher Altengland sich opfert für die undankbare Welt?

HERZOG VON WELLINGTON. Wenn es zum Äußersten kommt –ja.

LORD SOMERSET. O schau' dort – wieder eine ganze Reihe der braven Bergschotten hinsinkend wie Ähren vor der Sichel – – Und hier – das erste Glied des Leibregiments ebenso – Das zweite marschiert lächelnd ein, Milch und Blut auf den Wan-

gen, die frischeste Jugend, die jemals im heitern England
schimmerte – ha, und da winseln sie auch schon im Staube – –
Mutterherzen, Mutterherzen, wie wird's euch zerreißen, –
mein Herz ist schon zu Trümmer!

HERZOG VON WELLINGTON. Und zertrümmert das Gehirn dazu –
wir müssen ausharren bis die Hülfe naht.

ADJUTANTEN *(heransprengend)*. Die Franzosen nehmen Belle-
Alliance und drängen auf der Chaussee hieher vor.

HERZOG VON WELLINGTON. Kartätschen über die Chaussee!
*(Englisches Kartätschenfeuer, – auf einmal ein französischer
Kanonendonner, der allen frühern Schlachtlärm, so arg er
gewesen ist, übertönt. Die Engländer stürzen dichter als
zuvor.)*

LORD SOMERSET. Teufel – meine Locken – reißt mich nicht mit –
Sechs-, Zwölf-, Vierundzwanzig-Pfündner fliegen darüber
hin. – – Wie? wird das Höllengetöse, welches uns eben er-
schütterte, noch ärger?

HERZOG VON WELLINGTON. Es wird's. – Auch ich finde Ihn und
seine Mittel und die Art, wie er sie gebraucht, gewaltiger als
ich gedacht. Ich meinte einen etwas bessern General als
Massena oder Soult, die wahrlich auch tüchtige Feldherrn
sind, in Ihm zu treffen – – Aber da ist gar keine Ähnlichkeit, –
wo die aufhören, fängt Er erst an – Doch darum nur so mehr
Ruhe und Ausdauer – das Ungeheure überstürzt am leichte-
sten – Er läßt uns hier nur die Wahl zwischen Sieg und Tod, –
eben darum erringen wir vielleicht den erstern.

VERSPRENGTE ENGLISCHE DRAGONER *(denen während des folgenden Gesprächs, bis Milhaud erscheint, – in stets dichtern Haufen andere folgen)*. Hinter unsere Batterien! hinter unsere
Batterien!

HERZOG VON WELLINGTON. Flüchtlinge, schämt euch, – haltet –
Was gibt's?

DIE DRAGONER. Bonapartes Kürassiere in unserem Rücken –
Nichts hält ihnen Stand!

HERZOG VON WELLINGTON. Hm, – da schweigen auch seine Kanonen, weil sie sonst in seine eigne jetzt herankommende Kavallerie schießen würden, – recht klar – erst wollt' er unsre
Reihen mit Kugeln lüften, dann mit den Haudegen der Kürassiere vertilgen – So leicht geht es nicht, mein Herr!
– Die Lücken der Quarrées gefüllt – in die Quarrées Batterien

– Die Reserven nähergerückt – Die vorderste Reihe des Fuß-
volks auf die Kniee – die zweite schießt – Bajonette vorge-
streckt – die Reiterei fürerst beiseit!

LORD SOMERSET. Laß mich an die Spitze meiner Gardekavallerie!

HERZOG VON WELLINGTON. Nein, dazu ist's noch nicht Zeit, und
die Kürassiere Milhauds, ungeschwächt, wie sie noch sind,
hieltest du doch nicht auf.

LORD SOMERSET. Wie? Mit Pferden und Reitern wie die meinigen –

HERZOG VON WELLINGTON. Folge mir in jenes Quarrée – *(Mit ihm
zu dem Quarrée gehend.)* Ja, ihr seid brav – Aber Milhauds
Kürassiere, so schlecht die Menge der französischen Kavallerie sein mag, sind die Elite der ältesten, fast unter jedem
Himmelsstrich, gegen jede Nation geprüften Schlachtenrei-
ter – *(Sich einen Augenblick umwendend.)* Da kommen sie –
Betrachte sie – Sind ihre Gesichter nicht gelb und hart wie der
Messing ihrer Helme und Sturmketten? Sehen sie nicht aus,
als hätten sie unter Spaniens Sonne oder Rußlands Schneege-
stöber sich Tag für Tag mit Blut abgewaschen?

MILHAUD *(zu seinen Kürassierdivisionen).* Kameraden, einge-
hauen! – Ha, welche Wollust, diesen Narren, die Ihn nicht
einmal kennen wollen, dicht vor ihrer Fronte in die Zähne zu
rufen: Hoch lebe der Kaiser!

DIE KÜRASSIERE. Hoch lebe der Kaiser!

MILHAUD. Und hoch unsre Schwerter, um so tiefer auf die Lumpen niederzuflammen!
*(Die Kürassiere versuchen einzuhauen, Gewehrsalven emp-
fangen sie. Manche stürzen, aber an den Panzern der meisten
rollen die Flintenkugeln ab.)*
Was? Hat uns der Kaiser nicht feste Westen gegeben? – –
Und schade, oder wir finden Schlüssel, die Tore dieser Vier-
ecke zu sprengen! *(Mit der linken Hand ein Pistol hervorrei-
ßend wie auf einen englischen in Reih und Glied stehenden
Hauptmann anschlagend.)* Hauptmann da – wahre deine
Epaulette, daß sie nicht schmutzig wird – *(Er schießt ihn zu
Boden, und sprengt über den Leichnam in das Quarrée.)* Ho-
hussa!

EINER DER KÜRASSIERE *(mit den übrigen nachsprengend).* Fahne
her!

ENGLISCHER FAHNENTRÄGER. Eher mein Leben!

KÜRASSIER. So nimm den Tod! *(Haut ihn nieder und nimmt die Fahne. – Die Artillerie des Quarrées schießt mit Kartätschen.)*

MILHAUD. Diese Kanonen übergeritten! *(Er stürmt mit den Kürassieren auf sie ein. Die Kanoniere brennen noch einmal die Geschütze ab und flüchten.)* Ha, unser die Kanonen! – Vernagelt sie!

MEHRERE KÜRASSIERE *(springen von den Pferden)*. Das verstehen wir! Der Teufel selbst soll sie nicht weitergebrauchen können!

MILHAUD. Vorwärts, vorwärts in und über die anderen Quarrées! Das feindliche Heer aufgerollt vom Aufgang bis zum Niedergang! Der Gott der Siege umatmet unsre Helme!

HERZOG VON WELLINGTON. Lord Somerset, jetzt an die Spitze der Gardekavallerie, und warte meines Wortes.

LORD SOMERSET. Endlich – Gott sei gelobt!

EIN ENGLISCHER OFFIZIER. Da haut der Milhaud das vierte Quarrée zusammen!

HERZOG VON WELLINGTON. Diesesmal scheitert er hier an dem fünften! – Sechzig Reservekanonen herein!

MILHAUD. Vier Quarrées zu Stücken – In das fünfte!

HERZOG VON WELLINGTON. Herr General, es öffnet sich von selbst –
(Das Quarrée öffnet sich und sechzig schwere Geschütze desselben geben Feuer.)

MILHAUD. Heiliger Name Gottes – – Vorwärts in diese Höllenküche, und werden wir auch selbst darin gebraten – – Kamerad, wo dein rechter Fuß?

EIN KÜRASSIER. Mein Fuß? – Sakrament, da fliegt er hin, der Deserteur!

MILHAUD. Halte dich am Sattelknopf, wirst du ohnmächtig – – Nur drauf und dran! – – Nein, es geht nicht – Wir behalten sonst kein ganzes Pferd zum Zurückkommen! – Adieu, meine Herren – wir sprechen uns heute noch einmal, gleich nach dem zweiten Kugelsegen des Kaisers. *(Mit den Kürassieren ab.)*

HERZOG VON WELLINGTON. Jetzt, Somerset, gib ihnen das Geleit!

LORD SOMERSET. Den Schurken nach, Kavallerie König Georgs des Dritten! *(Ab mit der englischen Gardekavallerie.)*

HERZOG VON WELLINGTON. Zwei Adjutanten nach dem linken

Flügel – Corke und Clinton sollen Houguemont wieder zu
nehmen versuchen – Der Feind wird vielleicht durch die Di-
version verwirrt.
*(Zwei Adjutanten eilen fort. – Lord Somerset kommt mit der
Gardekavallerie zurück.)*
HERZOG VON WELLINGTON. Schon zurück?
LORD SOMERSET. Wir haben sie bis unter die Bajonette ihrer
Infanterie getrieben – Mancher Küraß von Nancy liegt im
Kot. – – General Picton ist eben gefallen.
HERZOG VON WELLINGTON. Auch der? – So sehr er mein Freund
war, ich kann ihn jetzt nicht betrauren – Es ist keine Zeit
dazu, und der Tod würgt heute so allgemein, daß er etwas
ganz Gewöhnliches scheint.
*(Der französische Kanonendonner hebt wieder so furchtbar
an, wie kurz vor der Ankunft der Milhaudschen Kürassiere.)*
Ha, von Caillou her zum zweiten Angriff geschossen und
gebrüllt! – Seid gefaßt! Milhaud sprengt bald neugestärkt
hieher!
EIN OFFIZIER DES GENERALSTABES. Noch ein paar solcher
Angriffe, und unsere Armee ist nicht mehr. Wäre kein Rückzug möglich durch den Wald von Soignies?
HERZOG VON WELLINGTON. Mein Herr, ein Rückzug ist doppelt
unmöglich. Erstlich erlaubt ihn unsere Ehre nicht, und dann
ist die Heerstraße durch den Wald so voll von flüchtigem
Gesindel und Fuhrwerk, daß nicht eine Compagnie, ge-
schweige siebenzigtausend Mann darauf zehn Schritt in Ord-
nung machen können. O wäre der alte Blücher erst da! – –
Was ist die Glocke, Somerset?
LORD SOMERSET. Die Glocke von Waterloo schlug eben halb
vier.
HERZOG VON WELLINGTON. Dorftürmchen von Waterloo, du
schlugst den Beginn der schwersten, unvergeßlichsten halben
Stunde meines Lebens! – Um vier Uhr wollte Blücher im
Forst von Frichemont sein. – – Himmel, wenn er nun nicht –
Ordonnanzen nach dem Forst, ob sie nicht endlich eine preußische Landwehrkappe erblicken!
LORD SOMERSET. Der zweite feindliche Reiterschwall naht!
HERZOG VON WELLINGTON. Altengland treibe ihn zurück wie den
ersten. – Ich setze mich auf diesen Feldstuhl und weiche nicht
davon, bis wir gesiegt haben oder eine Kugel mich davon-
wirft.

Fünfte Szene

Kleine Anhöhe von Caillou.

*Napoleon hält auf ihr zu Pferde. Bertrand, Cambronne und seine
Suite um ihn. Die Garden hinter ihm. Neben ihm der Pächter
Lacoste. Milhaud und seine Kürassiere kommen eben von ihrem
zweiten abgeschlagenen Angriff zurück.*

NAPOLEON. General, wie ist's da oben?

MILHAUD. Sire, die Engländer wehren sich matter als bei unserer
ersten Attacke.

NAPOLEON. Bereiten Sie sich zu der dritten – Alle irgend über-
flüssigen Regimentsgeschütze dort zu Drouot – Die Zeit
drängt, und was ihr an Länge fehlt, müssen wir durch Schnel-
le und Stärke ersetzen.

*(Adjutanten ab, – die französische Kanonade wird immer ge-
waltiger.)*

PÄCHTER LACOSTE. Jesus Maria!

NAPOLEON *(blickt ihn finster an)*. Was gibt's?

PÄCHTER LACOSTE. Sire, Verzeihung – ich fürchte mich – mir ist
das nicht gewohnt!

NAPOLEON. Wann kamen die Engländer hier an?

PÄCHTER LACOSTE. Gestern, Sire – morgens neun oder zehn Uhr.

NAPOLEON. Waren sie marode?

PÄCHTER LACOSTE. Die, welche auf meinem Pachthof sich ein-
quartierten, waren es, und wie es mir schien, auch alle übrigen, – aber es währte nicht lange, so restaurierten sie sich bei
zahllosen Marketenderfeuern.

NAPOLEON. Das Haus Belle-Alliance vor uns – – Hat es Gehöfte,
Hecken um sich?

PÄCHTER LACOSTE. Nein, es liegt offen an der Chaussee.

NAPOLEON. – Ist Milhaud bereit?

CAMBRONNE. Ja, Sire.

NAPOLEON. Kellermann stößt mit seinen Reitern zu ihm und er
versucht, während Drouots Batterien solange einhalten, den
dritten Angriff.

(Adjutanten ab.)

PÄCHTER LACOSTE. Weh, meine Frau und meine Kinder!

CAMBRONNE. Bauer, halte das Maul.

PÄCHTER LACOSTE. Hier fallen engländische Kugeln!

CAMBRONNE. Laß dich das nicht kümmern. Verlierst du dein bißchen Leben, was verlierst du Großes?

NAPOLEON. Wellingtons Heer wehrt sich mit den Krämpfen der Verzweiflung. Sechs reitende Batterien dem Milhaud nachgesandt. Man soll auf Mont Saint-Jean Posto fassen, es koste was es will. Ney ebenfalls dahin über La Haye Sainte, und mache seine Überweisheit bei Quatrebras gut durch strenge Befolgung meines Befehls. Kann er Haye Sainte nicht nehmen, so läßt er es samt dessen feindlicher Besatzung am Wege liegen. – In einer halben Stunde muß Mont Saint-Jean mein sein, oder ich erneue die Tage von Lodi und stelle mich selbst an die Spitze der Kolonnen!

(Viele Adjutanten ab.)

Auf unsrem rechten Flügel ist's zu still – Dahin zum Graf Erlon – ihm gesagt: auf dem Berge jenseits Papelotte, in den Vierecken des linken englischen Flügels, wachse ein Marschallsstab von Frankreich.

(Adjutanten ab, – andere kommen.)

EIN ADJUTANT. Der Fürst von der Moskwa ist über La Haye Sainte hinaus, – da aber wehren sich die Engländer hinter Verhacken wie Rasende, und das Blut fließt in Strömen.

NAPOLEON. Und wogt es wie Meeresflut, wenn wir nur siegen! Der Sieg soll des Blutes wert sein. Der Stern des illegitimen, geächteten Napoleon von 1815 soll den Völkern freundlicher leuchten, als der Komet des Erderoberers von 1811.

(Viele Verwundete, auf Ambulanzen, werden vorbeigefahren.)

Ihr Armen wißt auch nicht, weshalb ihr seufzet und stöhnt. – Nach vierzig Jahren kommentierten es euch Gassenlieder!

ADJUTANTEN *(heransprengend)*. Die letzten englischen Reserven rücken in das Feuer –

NAPOLEON. Milhaud, Drouot und Ney sollen desto heftiger sie angreifen.
Was da links? In der Gegend von Houguemont?

BERTRAND. Kanonendonner naht von dort – Prinz Jérôme wird bedrängt.

NAPOLEON. Was bedrängt! – Der Feind ist dort schwach, und neckt ihn eben darum mit Manövers! – Zwei Schwadronen Gardelanciers mir nach! *(Er galoppiert in Begleitung zweier Schwadronen Gardelanciers nach Houguemont – der Kano-*

nendonner, welcher von dort sich näherte, verliert sich bald
darauf in der Ferne.)

EIN OFFIZIER DER GARDEGRENADIERE ZU PFERDE. Der Milhaud
macht heute beneidenswerte Chocs – wir bekommen zu tun,
müssen wir mit seinen Kürassieren wetteifern.

EIN ANDERER OFFIZIER DER GARDEGRENADIERE ZU PFERDE. Er ist
im spanischen Kriege nicht umsonst braun geworden.

DER ERSTE OFFIZIER. Er erinnert an Murat.

DER ANDERE OFFIZIER. So ziemlich – aber mehr an seinen Mut als
an seine Gewandtheit. Eine brillante Attacke, wie die des
Murat bei Wagram, erleben wir wohl nicht wieder.

DER ERSTE OFFIZIER. Murat tat auch besser, ließ er, statt um
Neapels Lumpenthron sich zu raufen, seinen Federbusch hier
wehen!

DER ANDERE OFFIZIER. Kronen müssen einen eignen verlocken-
den Glanz haben, sonst begreif' ich nie, wie ein Franzose
nicht lieber Gemeiner im ersten besten Linienregiment seines
Vaterlandes sein will, als König von Neapel, oder Kaiser von
Rußland.

(Napoleon und Gefolge kommen zurück.)

BERTRAND. Sire, es ist doch wahr: vorgestern ist der Herzog von
Braunschweig gefallen – Gefangene Offiziere seines Corps
versicherten es mir eben in Houguemont.

NAPOLEON. Ein Husarengeneral weniger. – – Lacoste, der
Geschützdonner rechts? Von Wavre?

PÄCHTER LACOSTE. Sire, ja.

NAPOLEON. Grouchy treibt also die Preußen in die Dyle.

BERTRAND. Die Kanonade ist lebhaft, Sire – die Preußen leisten
starken Widerstand.

NAPOLEON. Schwerlich, oder Grouchy wär' ein äußerst erbärmli-
cher Verfolger gewesen, – sie waren zu sehr geschlagen, –
selbst Bülows Corps muß von der flüchtigen Masse mit in den
allgemeinen Strudel gerissen sein. – Graf Lobau schiebe jedoch zur Vorsicht seine Teten bis in das Gehölz zwischen hier
und Wavre.

(Großes Krachen von Mont Saint-Jean her, – ungeheure Flam-
menmassen fliegen dort in die Luft.)

CAMBRONNE. Brav, Drouot, das war ein Meisterschuß – zwanzig
englische Pulverwagen gingen gewiß darauf!

NAPOLEON. Bertrand – Cambronne –

CAMBRONNE. Sire, ist es Zeit?

NAPOLEON. Ja.

CAMBRONNE UND BERTRAND. Garden, sturmfertig!

NAPOLEON. Es geht gradeaus, über La Haye Sainte, wo Milhaud und Ney sich an euch schließen. – Was pfeift da?

LACOSTE. Wehe, Meuchelmörder in unsren Reihen – ganz nahe Büchsenkugeln!

EIN OFFIZIER DER SUITE. Sire – Flügelhörner – Preußische Jäger keine zweihundert Schritt von uns.

NAPOLEON. Einige Dragoner hin, die an der Dyle versprengten jungen Tollköpfe zu ergreifen.

EIN ADJUTANT *(heransprengend)*. Vom Graf Lobau: das ganze Gehölz von Frichemont ist voll von Preußen.

ZWEITER ADJUTANT *(später)*. Von Lobau: schon leichtes preußisches Geschütz im Walde von Frichemont. – Der General eilt ihrem Angriff entgegenzukommen.

DRITTER ADJUTANT. Vom Graf Erlon: am linken Flügel der Engländer, auf der Höhe des Waldes von Frichemont erscheinen Blücher und Bülow mit zahllosen Heerhaufen, und Raketen über Raketen verkünden Wellington ihre Ankunft.

NAPOLEON. Blücher? Bülow? – Ihre Corps müssen Trümmer sein.

ADJUTANT. Sire, nein. Zug auf Zug, endlos, rücken sie aus dem Walde – immer breiter wird ihre Fronte – ein Geschützfeuer entwickeln sie auf den Anhöhen über dem anderen – ein durch die Wolken brechender Strahl der Abendsonne zeigte sie der halben Armee in voller Kampfordnung.

NAPOLEON *(für sich)*. Der Strahl war nicht von der Sonne von Austerlitz.

BERTRAND. Brechen Himmel und Erde ein? – Der Kaiser zuckte mit der Lippe! – – Sire, Sire, die Schlacht geht doch nicht verloren?

NAPOLEON. Grouchy hat viel daran verdorben – *(Für sich.)* Daß das Schicksal des großen Frankreichs von der Dummheit, Nachlässigkeit oder Schlechtigkeit eines einzigen Elenden abhängen kann! –

EIN HERANSPRENGENDER ADJUTANT. Graf Lobau bittet Verstärkung – Ziethen kommt ihm und der Armee in den Rükken.

NAPOLEON. Mouton soll sich in Planchenoit so verzweifelt weh-

ren, wie einstens auf der Insel, von welcher er den Namen
Lobau trägt.

ANDERE ADJUTANTEN. Von Erlon: Bülow hat Papelotte erstürmt.

NAPOLEON. Meine schlechtesten Truppen gewesen, die Papelotte
so schnell sich nehmen ließen. – Erlon läßt nur seine Arrièregarde den Preußen gegenüber, und marschiert links ab zu Ney.
(Adjutanten ab.)

ANDERE ADJUTANTEN. Vom Marschall Ney und General Milhaud: die ganze englische Linie setzt sich gegen uns in Bewegung.

NAPOLEON. Zurück zum Marschall und zu Milhaud: gleich käm'
ich selbst – sie sollten sich halten bei La Haye Sainte, bei
Gefahr ihrer Köpfe! *(Zu den Adjutanten und Ordonnanzen
seiner Suite.)* Meine Herren, im Fluge zu allen Corps, welche
nicht bei La Haye Sainte fechten, – sie sollen alle dahin, ob
auch die Feinde, mit denen sie grade fechten, sie verfolgen
oder nicht.
(Viele Adjutanten und Ordonnanzen ab nach allen Seiten.)

EIN ANKOMMENDER ADJUTANT. Drouot bittet um Munition –

NAPOLEON. Alle Artilleriemunition zu ihm.

EIN ANDERER ADJUTANT. General Drouots Kanonen drohen vor
Hitze zu springen, und er wünscht –

NAPOLEON. Er schießt bis die Kanonen springen.

VIELE ADJUTANTEN. Ziethen pflanzt in unsrem Rücken Geschütze auf.

NAPOLEON. Das merk' ich – Dort stürzt Friant mit zerschmetter-
ter Stirn.

ANDERE ADJUTANTEN. Von Milhaud und Ney: Blücher treibt
starke Kolonnen auf Belle-Alliance, und versucht beide Generale von hier abzuschneiden.

NAPOLEON. Die Engländer?

EIN ADJUTANT. Rücken mehr und mehr vor. – Ney kämpft in
wilder Verzweiflung.

NAPOLEON. Seine schwache, schädliche Manier. – Milhauds Kürassiere?

DER ADJUTANT. Die Mehrzahl schon gefallen.

NAPOLEON *(wendet sich zu den Garden, mit gewaltiger Stimme).*
Garden, kann es eine irdische Kraft, so könnt ihr die Schlacht
retten und Frankreich! Noch nie ließt ihr mich in euch irren, –
auch heute zähl' ich auf euch –

CAMBRONNE. Kaiser, zähle, und du findest lauter Treffer!

NAPOLEON. Den Kaiser werf' ich weg von mir – *(vom Pferde springend)* ich bin wieder der General von Lodi, und mit dem Degen in der Hand führ' ich selbst euch auf Mont Saint-Jean!

DIE GARDE. Über die Sterne der Kaiser!

BERTRAND. Kaiser, Kaiser – Entsetzlich – Da steht er, der Hut vom Kopf gefallen, den Degen in der Faust, wie der gewöhnlichste seiner Souslieutenants – Sire, die Pflicht gebietet dir, dein Leben nicht so auszusetzen, wie du im Begriff bist!

NAPOLEON. Wie ich im Begriff bin? Schmettern hier nicht die Kugeln schon so dicht, wie irgendwo auf dem Schlachtfelde?

BERTRAND. Gewiß, Sire, doch daß du grade so wie jetzt –

NAPOLEON. Wie »grade so«? Was heißt das? – Zeige den Platz ehrenvoller als dieser meinige, an der Spitze meiner Garden, unter den Todesdonnern der Schlacht?

CAMBRONNE. Hört ihr, was der Kaiser sagt? – Die Musik dazu.

GARDEMUSIK *(spielt).*

> »Où peut on être mieux,
> Qu'au sein de sa famille!«

BERTRAND. Verdammt das Pferd, welches mich trägt, wenn der Kaiser zu Fuß ist! Ich werde Gemeiner, und kämpf' als solcher!

ALLE OFFIZIERE DER SUITE. Wir auch!

(Sie springen von den Pferden und ziehen die Degen.)

NAPOLEON. Wo die Granitkolonne von Marengo?

CAMBRONNE. Sie tritt schon vor, und wünscht dich zunächst zu begleiten.

NAPOLEON. Das soll sie auch. Ihre Soldaten waren die Genossen meines schönsten Tages, – so sollen sie auch Genossen und Helfer an meinem bösesten sein! – – Garden aller Waffenarten mir nach!

CAMBRONNE. Herr Pächter Lacoste, leben Sie nun recht wohl und laufen Sie von hier was Sie können – Grüßen Sie die Frau und die lieben Kinder, und wenn Sie nach zehn Jahren mit denselben wieder zum tausendsten Male einen Kuchen essen, oder Ihren Töchtern neue Kleider schenken, so freuen Sie sich ja von neuem über Ihre Existenz und Ihr Glück – Wir gehen jenen Kanonenmündungen entgegen und bedürfen Ihrer Elendigkeit nicht mehr! –

– Donner, welch ein Kugelregen – Die Melodie!

GARDEMUSIK *(spielt)*.
>>Freuet euch des Lebens,
     Weil noch das Lämpchen glüht!<<
EINER DER GARDEHAUTBOISTEN *(stürzt)*. Oh, wie süß ist der Tod!
(Alle gegen Mont Saint-Jean.)

Sechste Szene

Heerstraße vor dem Hause Belle-Alliance.

NAPOLEON *(mit den Garden im Vorüberziehen)*. Graf Lobau ist
bereits von den Preußen aus Planchenoit geworfen – Er soll
sich auf uns zurückziehen, und einige Compagnien seiner
Arrièregarde in dieses Haus werfen, um den verfolgenden
Feind aufzuhalten und zu necken.
(Adjutanten ab. Napoleon und die Garden marschieren wei-
ter: – Das Corps des Grafen Lobau, im Gefecht mit den Pom-
mern unter Bülow, rückt allmählich über die Szene, dem Kai-
ser nach. Graf Lobau erscheint selbst.)
LOBAU. Verwünschte Übermacht – kann denn weder Geist noch
Verzweiflung gegen sie retten?
BÜLOW *(mit den Pommern)*. Jungen, das Pulver nicht geschont –
Das ist heut ein herrlicher Tag!
LOBAU. Immer wieder vor, alle Regimenter!
BÜLOW. Immer ihnen entgegen, alle Pommern! – –
LOBAU. Feuer!
BÜLOW. Gleichfalls!
LOBAU. Unmöglich sich gegen diese Unzahl zu halten – – Drei
Compagnien in jenes Haus – – Alle übrigen mit nach Mont
Saint-Jean!
BÜLOW. Vier Bataillone stürmen dieses Haus –, alle übrigen hin-
terdrein nach Mont Saint-Jean!
(Das Bülowsche Corps folgt dem des Grafen Lobau – nur vier
Bataillone bleiben zurück, und erstürmen ungeachtet der hefti-
gen Gegenwehr der Franzosen, welche aus Türen und Fen-
stern schießen, während des folgenden Belle-Alliance.)
ZIETHEN *(mit zahllosen Reiterscharen)*. Bülow, gegrüßt! Es geht
gut – wir sind Ihm von hier bis Mont Saint-Jean im Rücken
und in der Seite, und die Engländer klopfen Ihm auch schon
vor die Brust!

BÜLOW. Ja, Viktoria, Ziethen! Höre, wie er auf dem Berge mit all seinen Kanonen noch einmal aufschreit von wegen des Rücken-, Seiten- und Brustwehs!

ZIETHEN. Ha, welch Geschrei: »Die Garde flieht! Rette sich, wer sich retten kann!«

BÜLOW. Der ganze Mont Saint-Jean wankt unter flüchtig werdenden Franzosen!

ZIETHEN. Wie sich das Volk durcheinanderwälzt – Kavallerie, Infanterie, Artillerie – ein verwirrter, unauflösbarer Knäuel!

BÜLOW. Na, englische und preußische Geschütze lösen tüchtig am Knäuel, – ich will auch von dort ein paar passable Batterien hineinspielen lassen –

ZIETHEN. Tu' es, und ob auch einige von deinen Kugeln in meine Reihen schlagen werden, – ich stürze mich doch mit der Kavallerie unter den Feind, ihn so eher zu vertilgen.

BÜLOW. Pommern, die Gewehre verkehrt genommen – zur Abwechslung! – Warum grade immer das Bajonett oben? – Die Franzosen zu Brei!

EINE MASSE FRANZÖSISCHER REITER *(im Vorbeisausen)*. Alles verloren – der Kaiser tot! die Garden tot! – zurück nach Genappes, nach Genappes!

EINE MASSE FRANZÖSISCHER INFANTERIE *(noch etwas geordnet)*. Zurück nach Genappes! nach Genappes!

EINE MASSE FRANZÖSISCHER REITENDER ARTILLERIE. Fußvolk Platz da, Platz!

EIN FRANZÖSISCHER INFANTERIEOFFIZIER. Es geht nicht – Bajonette vor gegen die Unsinnigen!

ARTILLERISTEN. Was Bajonette! Pferde und Kanonen darüber weg! *(Sie fahren über einen Teil der Infanterie.)*

BÜLOW. Pommern! können wir die Kanonen nicht nehmen? Sind denn unter euch nicht einige ehemalige Ackerknechte, die besser als jene feindlichen Infanteristen ein paar Pferde aufzuhalten und ein paar Räder zu zerbrechen wissen? *(Viele Soldaten seines Corps sprengen vor, und nehmen die Kanonen.)* Recht so! – Dreißig treffliche Zwölfpfünder! – Laßt sie ihren alten Herren mit ihren Kugeln Valet sagen! – Und, Burschen, lauft, springt, reitet und stürzt da nicht das bonapartische Heer, soweit man in der Dämmerung sehen kann – dahin, wo es am dicksten ist! *(Ab mit seinem Corps.)*

Siebente Szene

Blachfeld auf der andern Seite des Hauses Belle-Alliance.

Napoleon mit Bertrand und Offizieren, zu Fuß, – zwei Schwadrone der Gardegrenadiere in geschlossener Ordnung zur Bedeckung um sie, und Cambronne mit dem Überbleibsel der Granitkolonne von Marengo hinter ihnen.

NAPOLEON. Wir müssen hier mitten durch das Feld zurück, – die Chaussee ist zerfahren und überdem von den Preußen erstürmt – – Der Abend wird kalt – Meinen Mantel und mein Pferd.
(Bertrand hängt ihm den Mantel um, – ein Pferd wird vorgeführt.)
Solch eine Flucht kennt die Geschichte nicht – Verräterei, Zufall und Mißgeschick machen das tapferste Heer furchtsamer als ein Kind – Es ist aus – Wir haben seit Elba etwa hundert Tage groß geträumt – – Bertrand, was ist? Du schweigst?

BERTRAND. Sire – sprechen – jetzt – – – o Gott! – Sieh diese Gardegrenadiere – Congreven lodern in ihren Reihen, und sie schweigen doch! – – Nur eines, du, in dessen Ruhmesglanz ich einzig lebte, sei billig, laß mich auch auf ewig dein künftiges Unglück teilen. *(Er fällt dem Kaiser zu Füßen.)*

NAPOLEON. Steh' auf – du brichst mit mir das Brot des Elendes. – Aber deine Frau?

BERTRAND. Sire, sie wird dir in Tränen danken, wie ich?

NAPOLEON *(zurückblickend).* Da stürzen die feindlichen Truppen siegjubelnd heran, wähnen die Tyrannei vertrieben, den ewigen Frieden erobert, die goldne Zeit rückgeführt zu haben – Die Armen! Statt eines großen Tyrannen, wie sie mich zu nennen beliebten, werden sie bald lauter kleine besitzen, – statt ihnen ewigen Frieden zu geben, wird man sie in einen ewigen Geistesschlaf einzulullen versuchen, – statt der goldnen Zeit, wird eine sehr irdene, zerbröckliche kommen, voll Halbheit, albernen Lugs und Tandes, – von gewaltigen Schlachttaten und Heroen wird man freilich nichts hören, desto mehr aber von diplomatischen Assembleen, Konvenienzbesuchen hoher Häupter, von Komödianten, Geigenspielern und Opernhuren – – bis der Weltgeist ersteht, an die

Schleusen rührt, hinter denen die Wogen der Revolution und meines Kaisertumes lauern, und sie von ihnen aufbrechen läßt, daß die Lücke gefüllt werde, welche nach meinem Austritt zurückbleibt.

CAMBRONNE. Mein Kaiser, gegenüber nahen die Engländer, seitwärts die Preußen – Es ist Zeit, daß du fliehest, oder daß –

NAPOLEON. Oder?

CAMBRONNE. Imperator, falle!

NAPOLEON. General, mein Glück fällt – Ich falle nicht.

CAMBRONNE. Verzeihung, Kaiser! Du hast recht!

NAPOLEON. Den Mantel mir fester zugemacht. – Es regnet immer stärker. – – Bertrand, besteige ein Pferd, – tun Sie ebenso meine Herren Offiziere. – Reitende Gardegrenadiere, bahnt uns den Weg! – Granitkolonne, lebe wohl! *(Er, Bertrand, die ihn begleitenden Offiziere sind zu Pferd gestiegen und reiten mit den Gardegrenadieren fort.)*

CAMBRONNE. Er ist fort – Was will der andere Dreck, den man Erde, Stern oder Sonne nennt, noch bedeuten? – Er hat uns »lebe wohl« gesagt, und leicht das Auge gewischt – das heißt: sterbt meiner würdig! es geht nicht anders. – Also, Kameraden, die Schnurrbärte hübsch zurecht gedreht – bald sind wir im Himmel oder in der Hölle, und ein braver Franzose erscheint im Himmel wie in der Hölle geputzt!
(Englische und preußische Reiterei von allen Seiten.)
Seht ihr, wie unsere Spediteure uns umdrängen! – Also, Tambour, tüchtig auf dein Kalbsfell geschlagen – Bedenke, von all den hunderttausend Trommeln, die in den glorreichen Feldzügen des Kaisers erklangen, ist die deinige die letzte! – Und schlage *lustig*, – auch dazu hast du Grund, – du quälst dich mit Trommelschlag fortan nicht wieder!
(Der Tambour trommelt ununterbrochen laut und kräftig darauflos.)
Schießt!

EIN ENGLISCHER DRAGONEROFFIZIER. Unsinnige, laßt das Schießen –

CAMBRONNE. Schießt!

DER DRAGONEROFFIZIER. – ihr entkommt doch nicht –

CAMBRONNE. Schießt!

DER DRAGONEROFFIZIER. Wahnsinniges Volk – Ergebt euch!

CAMBRONNE. Laffe, die Garde stirbt, aber sie ergibt sich nicht! –
Schießt so lang ihr atmet!

ENGLISCHE UND PREUSSISCHE REITEREI *(einhauend)*. Nieder die
grauen Trabanten des Tyrannen!

CAMBRONNE. Nieder –? Granitkolonne, hoch und stolz wie die
Sonne, und gefallen herrlich wie sie!

DIE GRANITKOLONNE. Schon gut – sieh' nur –
*(Die Granitkolonne samt Cambronne wird nach verzweifel-
tem Kampfe zusammengehauen. Die alliierte Reiterei rückt
weiter, andere englische und preußische Truppen gleichfalls.)*

BLÜCHER *(mit Gneisenau und Gefolge heransprengend)*. Wo
mein großer Waffenbruder von Saint-Jean?

GNEISENAU. Da kommt er!

HERZOG VON WELLINGTON *(heransprengend)*. Guten Abend,
Feldmarschall!

BLÜCHER. Herzog, der Abend ist des Tages wert!

HERZOG VON WELLINGTON. Die Hand her, Helfer in der Not!

BLÜCHER. Zum »schönen Bunde«, wie der Ort hier heißt! – –
Engländer, Preußen, Generale, Unteroffiziere, Gemeine –
ich kann nicht weiterrücken bis ich mir die Brust gelüftet,
meine Feldmütze abgezogen, und euch gesagt habe: ihr alle,
alle seid meine hochachtbaren Waffengefährten, gleich brav
in Glück und Not – Wird die Zukunft eurer würdig – Heil
dann! – Wird sie es nicht, dann tröstet euch damit, daß eure
Aufopferung eine bessere verdiente! – – Wellington, laß deine Leute etwas rasten, – sie hatten heute die drückendste
Arbeit – Dafür übernehmen wir so eifriger die Verfolgung,
und verlaß dich darauf, sie soll unseren Sieg vollenden, wie
noch keinen andern! – Vorwärts, Preußen!

Zur Textgestalt

Der Text der vorliegenden Ausgabe folgt dem Erstdruck:

> Napoleon oder die hundert Tage. Ein Drama in fünf Aufzügen von Grabbe. Frankfurt am Main, Joh. Christ. Hermann'sche Buchhandlung. G. F. Kettembeil. 1831.

Die Orthographie wurde unter Wahrung des Lautstandes und der sprachlichen Eigenart behutsam dem heutigen Gebrauch angeglichen. Die Interpunktion wurde original belassen. Offensichtliche Druckfehler wurden stillschweigend korrigiert. Texthervorhebungen, in der Druckvorlage gesperrt, erscheinen kursiv. Das Verzeichnis der Personen, das weder in der Handschrift noch im Erstdruck enthalten ist, wurde hinzugefügt.

Anmerkungen

9,3 *Palais Royal:* Die Kaffeestuben des 1629–36 für Richelieu erbauten Palais Royal bildeten den beliebtesten Versammlungsort der aufgeklärten Pariser.

9,17 *Vater Veilchen:* das Kennwort, mit dem die bonapartistischen Verschwörer und Anhänger Napoleons diesen bezeichneten.

9,28 *Dronten:* ausgestorbene Vogelart, die auf den Inseln Mauritius und Bourbon im Indischen Ozean beheimatet war.

9,32 *Monsieur:* Bezeichnung für den ältesten Bruder des Königs, hier für den Grafen von Artois. Er war der Vater der Herzöge von Angoulême und von Berry und wurde später König Karl X.

10,4 f. *Simia silvanus:* fehlerhaftes Latein, etwa mit ›in Wäldern lebender Affe‹ zu übersetzen.

10,6 *Pflanzengarten:* Der Jardin des Plantes umfaßte außer der botanischen Abteilung auch eine für lebende Tiere.

10,38 *La marmotte:* (frz.) das Murmeltier.

11,21 f. *Schlacht an der Moskwa:* Die Schlacht von Borodino am 7. September 1812. Marschall Ney (vgl. Anm. zu 51,18) erhielt 1813 für seine Tapferkeit den Titel »Fürst von Moskwa«.

11,37 *Beresina:* Fluß in Litauen, den das flüchtende Heer Napoleons zwischen dem 26. und 28. November 1812 überschritt.

12,26 *Völkerschlacht bei Leipzig:* Am 16. Oktober 1813 zwangen die verbündeten Armeen in der großen Befreiungsschlacht Napoleon zur Flucht und nahmen König Friedrich August I. von Sachsen gefangen.

13,23 *Pyramiden . . . Kairos Minarets:* Napoleon siegte am 21. Juli 1798 bei den Pyramiden und besetzte dann Kairo.

13,27 f. *St-Domingo:* westlicher Teil Haitis.

13,28 *Cattaro:* Stadt in Dalmatien.

13,29 f. *Montereau:* Am 18. Februar 1814 fand hier eine Schlacht zwischen Napoleon und dem Kronprinzen von Württemberg statt.

13,40 *Augereau:* Pierre-François-Charles A., Herzog von Castiglione (1757–1816), Marschall von Frankreich, nahm an den Feldzügen 1812/13 teil, betrieb dann aber die Abdankung Napoleons.

14,1 *Marmont:* Auguste-Frédéric-Louis de M. (1774–1852), Marschall unter Napoleon, galt seit 1814 bei den Bonapartisten als Verräter.

14,5 *so oder so:* Grabbe strich für den Druck folgende Zeilen: »CHASSECŒUR. Hauptmann, ich habe mitgesiegt, mitgeplündert, mitgehurt – alles, alles, Weib oder Mann, Laie oder Pfaffe ist Schuft, – aber der Kaiser war der beste darunter. VITRY. Und die Emigranten sind nicht die schlechtesten, aber die dummsten.«

14,39 *Narrenteidungen:* närrische, ungereimte Reden.

15,22 *Marengeo:* Dorf in Norditalien, zwischen Genua und Mailand, bei dem Napoleon am 14. Juni 1800 die Österreicher besiegte.

15,24 *Austerlitz:* Stadt in Mähren. Dort erlitten Österreicher und Russen am 2. Dezember 1805 durch Napoleon eine Niederlage.

16,8 *Dames d'atour:* Hofdamen.

16,9 *Tabourets:* Hocker, Schemel.

17,10 *Blacas d'Aulps:* Pierre-Louis B. (1771–1839), Staatsminister unter Ludwig XVIII.

17,27 *Vincennes:* zunächst königliche Residenz nahe Paris, seit 1774 Staatsgefängnis. Auf Befehl Napoleons wurde dort Louis-Antoine-Henri von Bourbon, Herzog von Enghien (1772–1804), hingerichtet.

18,14 *Camille Desmoulins:* leitete mit Danton den Sturm auf die Tuilerien am 10. August 1792.

18,16 *Necker:* Jacques N. (1732–1804), Vater der Madame de Staël, Bankier, Diplomat und seit 1777 Finanzminister, wurde als Volksheld verehrt, da er das königliche Budget veröffentlichte und sich für den 3. Stand einsetzte. Die allgemeine Empörung über seine Entlassung durch den König am 11. Juli 1789 gab schließlich den Anstoß zur Erstürmung der Bastille am 14. Juli.

18,16 f. *Bartholomäusnacht:* In der Nacht zum 24. August 1572 wurden anläßlich der sog. Pariser Bluthochzeit, der Hochzeit Heinrichs von Navarra mit Margarete von Valois, die Anführer des hugenottischen Adels und Tausende ihrer Glaubensgenossen auf Veranlassung der Königinmutter, Katharina von Medici, ermordet.

18,19 *Séchelles:* Jean-Marie-Hérault de S. (1759–94) wurde wie Danton und Desmoulins im April 1794 auf Befehl des Wohlfahrtsausschusses hingerichtet.

18,20 *Robespierre:* Maximilian de R. (1758–94), beherrschte seit 1793 den Wohlfahrtsausschuß der Revolutionsregierung, wurde am 27. Juli (= 9. Thermidor) nach der sog. Thermidor-Revolution selbst guillotiniert.

20,2 *d'Ambray:* Charles-Henri, Vicomte Dambray (1760–1829), Kanzler unter Ludwig XVIII.

20,22 *Moniteur:* Amtsblatt der Regierung Napoleon seit 1800.

20,33 *Pompadours:* Jeanette-Antonia Poisson, Marquise de Pompadour (1721–64), Mätresse Ludwigs XV.

21,12 *Egalités:* Louis-Philippe (1773–1850), General der Revolutionsarmee, seit April 1793 als Herzog von Orléans in Österreich, Bürgerkönig 1830–48, floh vor den Republikanern nach Großbritannien und lebte dort als Graf von Neuilly.

21,30 *Dreikaiserschlacht bei Dresden:* 26./27. August 1813, Niederlage der Preußen, Österreicher und Russen.

22,17 *Quiberon:* Halbinsel an der Westküste Frankreichs (Bretagne).

24,2 *Condé:* Ludwig Heinrich Joseph, Prinz von C. (1756–1830), Gemahl der Louise-Marie-Thérèse von Orléans.

24,22 f. *Bocksgesicht:* Gemeint ist der Herzog von Angoulême.

26,10 *Nef:* schiffsförmiger, vergoldeter Tafelaufsatz.

26,31 *Hartwell:* Ort in der südostenglischen Grafschaft Buckinghamshire, wo Ludwig XVIII. seit Ende 1807 lebte, bis er am 26. April 1814 nach Frankreich zurückkehrte.

27,13 *Tempel.* frz. *la tour de temple,* Gefängnis, in dem Ludwig XVI. und seine Familie eingekerkert waren; im Jahr 1800 zerstört.

27,20 *Capet:* Ludwig XVI. mußte sich nach seinem Sturz »Louis Capet« nennen.

27,35 *Bluthochzeit:* vgl. Anm. zu 18,16 f. *Bartholomäusnacht.*

29,27 *Regent:* Philipp II., Herzog von Orléans (1674–1723), Regent nach dem Tod Ludwigs XIV.; er soll Mitglieder der königlichen Familie vergiftet haben.

32,13 *Assignaten:* Papiergeld der Französischen Revolution 1790 bis 1796.

32,39 f. *St-Lucie:* Gemeint ist Santa Lucia, Insel der Kleinen Antillen.

33,2 *Talleyrand:* Charles-Maurice, Prinz von Talleyrand-Périgord (1754–1838), Mitglied der Nationalversammlung von 1789 und früher auf der Seite Napoleons. Nach der Niederlage in Rußland verhalf er den Bourbonen wieder auf den Thron und war als Außenminister Ludwigs XVIII. auf dem Wiener Kongreß.

34,2 *Porto Ferrajo:* Hauptstadt Elbas.

34,3 *Bertrand:* Henri-Gratien, Graf B. (1773–1844), begleitete

Napoleon nach Elba, während der Hundert Tage und nach St-
Helena.

34,35 *Schwiegervater:* Kaiser Franz I. von Österreich (1768–1835),
Vater von Marie Luise, Napoleons zweiter Frau.

35,19 *Preußenkönig:* Friedrich Wilhelm III. (1770–1840), König
von Preußen (seit 1797). Hier Anspielung auf den Frieden von
Tilsit 1807.

35,21 *schönst Rose:* Gemeint ist die überaus populäre Königin
Luise von Preußen (1776–1810), die 1807 in Tilsit in einem ver-
geblichen Gespräch Napoleon zu milderen Friedensbedingungen
für Preußen zu bewegen suchte.

35,35 *Pichegru:* General Charles P., wurde verhaftet, weil er sich an
einem Mordversuch gegen Napoleon beteiligt hatte. Man fand ihn
jedoch vor seinem Prozeß erdrosselt auf.

35,36 *Moreau:* Jean-Victor M. (1763–1813), hatte sich an der Ver-
schwörung Pichegrus beteiligt, wurde verbannt und diente dann
dem russischen Kaiser bis zu seinem Tode.

36,17 *Ultras:* Gemeint sind die Ultra-Royalisten.

36,31 *Champeaubert:* Niederlage der Russen bei Champeaubert-
au-Bois am 10. Februar 1814.

37,6 *Fouché:* Joseph F., Herzog von Otranto (1763–1820), Polizeiminister unter Napoleon.

38,15 *Prinz von Messeriano:* historisch nicht nachgewiesen. Tat-
sächlich erhob der Fürst von Piombino, Grande von Spanien,
Besitzansprüche auf Elba.

38,36 *König von Neapel:* Joachim Murat (1767–1815), Schwager
Napoleons, Marschall von Frankreich, seit 1804 König von Neapel; von den Italienern hingerichtet.

38,38 *Bernadotte:* Jean-Baptiste B. (1763–1844); Napoleon machte
ihn zum Fürsten, der schwedische König adoptierte ihn, dann
wurde er zum Regenten und 1818 zum König von Schweden ernannt und wandte sich gegen Napoleon.

39,7 *Cambronne:* Pierre-Jacques-Etienne, Graf von C. (1770 bis
1842), langjähriger Begleiter Napoleons, auch auf Elba.

39,30 *Campbell:* Sir Neill C. (1770?–1827), englischer Kommissar
und Bewacher Napoleons auf Elba.

40,10 *Fréjus:* französische Stadt am Mittelmeer, Landungsplatz
Napoleons nach dem ägyptischen Feldzug.

41,6 *Buffon:* George-Louis Leclerc, Graf von B. (1707–88), Natur-
forscher, Direktor des Jardin des Plantes seit 1739.

41,20 *Phalaris canariensis:* Kanariengras, Gattung der Süßgräser.
42,27 *Damen der Halle:* frz. *dames de la halle* ›Pariser Markt-
frauen‹.
43,33 *die Madame:* Gemeint ist die Herzogin von Angoulême.
45,18 *Carnot:* Lazare-Nicolas-Marguerite, Graf C. (1753–1823),
Republikaner, 1814 Gouverneur von Antwerpen, nach der Rückkehr von Elba Innenminister unter Napoleon.
46,14 *Seneca:* Lucius Annaeus S. der Jüngere (um 4 v. – 65 n. Chr.),
römischer Philosoph, Dichter und Politiker.
48,7 *Marquis von Brandenburg:* Gemeint ist der König von Preußen (vgl. Anm. zu 35,19).
50,17 *Personnage:* hier geringschätzig: Wicht.
50,32 *Telegraphen:* Die Gebrüder Chappe entwickelten 1789–92
den optischen Telegraphen.
51,18 *Ney, Fürst von –:* Michel N., Herzog von Elchingen, Fürst
von der Moskwa, Marschall von Frankreich (1769–1815), wurde
von den Bourbonen als Hochverräter erschossen. (Vgl. auch
Anm. zu 11,21 f.)
53,2 *Grèveplatz:* Pariser Platz für öffentliche Hinrichtungen.
56,2 *Mouchards:* Polizeispitzel.
59,3 *Assisen:* Gerichte.
59,21 f. *St-Martin:* Stadtteil von Paris.
64,20–65,8 *Ah! Ça ira . . . ça ira:* französisches Revolutionslied von
1789.
64,29 *Ohnehosen:* frz. *sansculottes* ›ohne Kniehosen‹, Bezeichnung
für die Republikaner, die im Gegensatz zu den Adligen lange
Hosen (*pantalons*), trugen.
65,11 *Avignon:* französische Stadt an der Rhone, Sitz des Erzbi-
schofs, wo 1791 blutige Auseinandersetzungen zwischen Anhän-
gern des Papstes und Republikanern stattfanden.
67,10–12 *merke dir . . . zu weit auf:* Grabbe strich den ursprünglichen Text: »wisse: ich wie jeder andere hier könnten Kaiser so gut
geworden sein als dein Napoleon. Er hatte Glück und Eigensinn,
sehe aber, falls ihm wieder ein günstiger Strahl lächeln sollte,
besser als früher zu wie lange das erste bei dem zweiten besteht.«
68,17 *Milhauds:* Jean-Baptiste, Graf von Milhaud (1766–1833),
hochdekorierter Kommandeur der Kavallerie.
69,2–9 *Der Imperator . . . Kokarden:* Grabbe strich die ursprüngliche Fassung: »Ich Tor! wurde ich Soldat, so war ich jetzt statt des
Korsen vielleicht Kaiser Jouve der Erste. Wer wußte 1789, daß das

Volk anfangen, die Soldaten endigen würden? Aber ob es nicht
einmal umgekehrt geht? – Von morgen an trag ich wieder einen
eleganten Frack und mache die neue bonapartische Mode mit, bis
irgendeine andere sie verdrängt – Denn Mode scheint alles, Blut
des sechzehnten Ludwigs, oder D[. . .]k des Königs von Rom.
(Laut.) Es fängt an zu dämmern – Hausbewohner, mit euren
Lampen an die Fenster! Das Volk liebt nicht, daß man aus hinter-
listigem Dunkel es beobachtet! Und noch schneller als die Lampen, dreifarbige Kokarden her!«

70,32 f. *Hortense:* Hortensia-Eugénie Beauharnais (1783–1837),
Stieftochter Napoleons, die 1802 dessen Bruder Louis (bis 1810
König von Holland) heiratete; seit 1810 lebte sie mit Napoleon in
Paris.

71,29 f. *S'il est . . . raison:* Wenn es eine Zeit für die Tollheit gibt, so
auch eine für die Vernunft.

71,37 f. *König von Rom:* Napoleons Sohn, Franz Joseph Karl
(1811–32), wurde schon vor der Geburt zum König von Rom
ernannt. Seit der Verbannung Napoleons lebte er mit seiner Mutter Marie Luise in Wien.

72,17 *Travot:* Jean-Pierre, Baron T. (1767–1836), schlug 1800 die
Bauernrevolte in der Vendée nieder.

72,21 *April:* Abdankung Napoleons am 11. April.

73,26 *Gilly:* Jacques-Laurent, Graf G. (1769–1829), diente zunächst unter Napoleon, dann unter König Ludwig XVIII., wech-
selte wieder zu Napoleon.

73,32 *Offizier ab:* Grabbe strich den ursprünglichen Text: »*(Für
sich.)* Der Angoulême wäre das Pulver nicht wert, ihn zu erschießen. Seine Albernheit wird mir bei dem Feind nur nützen.«

74,16 *Orlogs:* Kurzform für *Orlogschiffe* ›Kriegsschiffe‹; niederdt.
Orlog ›Krieg‹.

74,18 *St. James:* der englische Hof.

75,7–9 – – –: Die ursprüngliche Stelle lautete: »die Österreicherin
nicht zur Frau genommen, sondern zur Mätresse«; vgl. dazu
Grabbes Brief vom 12. Januar 1831 an Georg Ferdinand Kettembeil, den Freund und Verleger: »Ja von der österr. Mätressen-
phrase so viel stehen gelassen, daß man sie ahnt.«

75,27 *Teiler von Polen:* 1795 dritte Teilung Polens durch Rußland,
Österreich und Preußen.

76,2 *Kantonierungen:* Quartiere, Unterkünfte.

76,15 *Verteidigung von Antwerpen:* Die Stadt, seit 1792 französisch, wurde vom Februar 1814 an von den Engländern belagert und am 5. Mai 1814 infolge eines Waffenstillstandes dem Grafen Artois übergeben.

76,29 *Labédoyère:* Charles-Angélique Huchet, Graf von L. (1786–1815), Generaladjutant Napoleons, wurde von den Bourbonen kriegsrechtlich zum Tode verurteilt, weil er nach der Schlacht von Waterloo eine Rede gegen sie gehalten hatte.

77,13 *Davoust:* Louis-Nicolas D., Herzog von Auerstädt, Fürst von Eggmühl (1770–1823), Marschall von Frankreich.

77,22 *immer zehnmal:* in der Handschrift (Hs.): »immer noch zehnmal«.

78,1 *den härtesten Schlag:* Joséphine Beauharnais starb am 29. Mai 1814.

78,20 f. *Berthier ... Junot:* Alexandre B. (1753–1815); Michel Duroc (1772–1813); Jean-Baptiste Bessières (1768–1813) und Andoche Junot (1771–1813) waren Marschälle von Frankreich unter Napoleon.

78,40 *Maret:* Hugues-Bernard M. (1763–1839), früher und während der Hundert Tage Staatssekretär unter Napoleon.

79,5 *deine Brüder:* Lucian (1775–1840), Joseph (1768–1844) und Jérôme (1784–1860) hielten auch nach seiner Rückkehr von Elba zu Napoleon.

79,19 *Voltigeuers:* leichte Infanterie zum aufgelockerten Gefecht, Geplänkel.

82,33 *Talma:* François-Joseph T. (1763–1826), französischer Schauspieler, der sich gern in Napoleons Nähe aufhielt.

82,37 *Zusatznote:* Hs.: »Zusatzakte«.

82,40 *Note:* Hs.: »Akte«.

86,27 *Piqueurs:* Vorreiter und Aufseher bei der Hundemeute; hier: militärischer Jäger zu Pferde.

87,11 *Eßlingen:* Dort unterlagen am 22. Juli 1796 in einem Gefecht die Franzosen den Österreichern.

88,29 *blauen Zwirn:* scherzhafte volkstümliche Umschreibung für Alkohol, Schnaps.

89,6 *berühmter Autor:* zitiert nach Friedrich Schlegels Roman *Lucinde* (1799).

90,1 *Freund:* Der betrunkene Alexander d. Gr. tötete seinen Freund Klitus, der ihm das Leben gerettet hatte.

90,13 *Lemm ... Beschort:* Friedrich Wilhelm L. (1782–1837) und

Friedrich Jonas B. (1767–1846) waren Mitglieder der Königlichen
Bühne in Berlin.

92,34 *Auch du, Brutus:* Anspielung auf Shakespeares *Julius Caesar*
(III,1).

93,20 *Tirailleure:* Scharfschützen.

94,14 *regalieren:* bewirten, freihalten, einen Schmaus bereiten.

94,15 *Hainau und Laon:* Dort wurde Napoleon am 26. Mai 1913
bzw. am 9./10. März 1814 durch Blücher geschlagen.

95,12 *Lützen und Bautzen:* Hier siegte Napoleon über die Preußen
und Russen am 2. bzw. am 20./21. Mai 1813.

95,15 *Eylau:* Schlacht am 7./8. Februar 1807 mit unentschiedenem
Ausgang.

95,35 *Arkture:* Der Arkturus ist ein Stern erster Größe im Sternbild
des Bootes.

99,13 *Bourmont:* Louis-Auguste-Victor de Ghaisnes, Graf v. B.
(1773–1846), zwang Napoleon zur Änderung seiner Angriffspläne, weil er am 15. Juni 1815 zusammen mit mehreren Offizieren
zu den Alliierten überging.

99,26 *Demnach:* Erstdr.: »Dennoch«.

100,6 *Hamm:* Ludwig XVIII. residierte hier zwischen Juli 1892 und
Januar 1893 und rief den Dauphin als Ludwig XVII., sich selbst
aber zum Regenten aus.

100,9 *N– –:* Nachtstuhl; Streichung vermutlich von Kettembeil.

101,6 *Sechste Szene:* Grabbe schrieb dazu am 4. Februar 1831: »Mit
alle den Scenen bin ich zufrieden. Sämmtliche Wasserkünste dürfen aber bei Ligny nicht springen, weil Waterloo blendender sein
muß.«

101,10 *Seiten:* Hs.: »Seiten der Scene«.

102,32–35 *Allons enfan[t]s . . . est levé:* von Rouget de Lisle, einem
Offizier der französischen Rheinarmee, gedichtete patriotische
Hymne, die zur Nationalhymne der französischen Republik erhoben wurde.

102,40 *Valmy und Jemappes:* entscheidende Siege der Revolutionsarmee im Jahr 1792.

105,14 *noch:* Hs.: »nach«.

105,29 *anfilieren:* einfädeln, beginnen.

106,13 *debandieren:* auflösen.

108,16 *Grouchy:* Emmanuel, Graf von G. (1766–1847), konnte
Napoleon bei Waterloo nicht beistehen, da er mit seiner Truppe
den Preußen nachjagte.

109,21 *mit – und mit den –:* mit Rücksicht auf die Zensur geänderte
Stelle; Hs.: »mit Hannover, Preußen und mit den Ständen«.

109,24 *Korrespondenzen mit – – –:* von Grabbe geänderte Stelle,
die ursprünglich lautete: »mit Österreich, mit England, mit den
ehemals westfälischen Offizieren, mit einigen meiner Untertanen«.

110,10 *Jourdan:* Jean-Baptiste, Graf J. (1762–1833); 1812–14
Genaralstabschef König Josephs in Spanien, wo die französischen
Truppen von Wellington mehrfach besiegt wurden, bis die Niederlage von Vittoria am 21. Juni 1813 Josephs spanischer Herrschaft ein Ende bereitete.

110,22 *der ehrliche Brite Picton:* Der englische General Sir Thomas
Picton (1758–1815) verschwieg eine Wunde, um an der Schlacht
von Waterloo teilnehmen zu können, bei der er dann den Tod
fand.

110,28 f. *Corunna und Vlissingen:* Hier mußten die Engländer 1809
bzw. 1810 den Rückzug antreten.

112,5 f. *Salamanca:* Stadt und Provinz in Spanien, wo Wellington
am 22. Juli 1812 über Marmont siegte.

112,28 f. *Herr von Ciudud Rodrigo:* Gemeint ist Wellington, der im
Januar 1812 die in der Provinz Salamanca gelegene Stadt eroberte
und dafür zum Herzog von Salamanca erhoben wurde.

112,31 *Rache ... entgegengestürzt:* Hs.: »verbeißt, statt rachedur-
stend ihnen entgegenzustürzen«.

117,1 f. *Professor Heinsius:* Theodor H. (1770–1849), Grammati-
ker und Lexikograph in Berlin.

117,18 *Die Franzosen hinter die Königsmauer:* Die Königsmauer
war eine verrufene Gasse in Berlin; mit Franzosen ist die Franzo-
senkrankheit, die Syphilis, gemeint.

118,17 *kauscher:* rein, echt, wie es sein soll. Jüdisch-chaldäisches
Wort; Aussprache der niederen Juden für *kôscher*, aber im allgemeinen deutschen Sprachgebrauch verbreitet.

119,28 *»Quivives«:* die französischen Wachtposten; abgeleitet von
dem Anruf *»Qui vive?«* (»Wer da?«).

119,40 *Wisotzky:* beliebtes Bierlokal in Berlin.

120,28 *dem Helden von Dennewitz:* Ehrenname für Friedrich Wilhelm Graf Bülow von D. (seit 1814) nach der Schlacht von D. am
6. September 1813.

123,20 *'s ist:* Hs.: »Immer. 's ist«.

125,18 *Paßkugel:* genau in den Lauf eines Gewehres oder einer Kanone passende Kugel.

127,14 *Somerset:* Fitzroy James Henry S., Lord Raglan (1788–1855).

128,21 *Massena oder Soult:* André M., Herzog von Rivoli, Fürst von Eßlingen (1758–1817), und Nicolas, Jean de Dieu S., Herzog von Dalmatien (1796–1851), unterlagen Wellington in Portugal. Nachdem Napoleon die Truppe nach der Schlacht von Waterloo verlassen hatte, führte Soult den Rückzug.

131,1 *Corke:* fehlerhaft im Druck für »Cooke«, Generalmajor bei Waterloo.

131,2 *Diversion:* Ablenkungsmanöver.

131,8 *von:* Hs.: »vor«.

132,32 *Kellermann:* François-Etienne K., Herzog von Valmy (1770–1835).

133,11 *Lodi:* italienische Stadt in der Lombardei, wo Napoleon am 10. Mai 1796 die Österreicher besiegte.

133,15 *dem Berge:* Hs.: »den Bergen«.

133,23–25 *sein . . . 1811:* Grabbe strich in der Hs.: »sein! Nicht der Napoleon, den die Revolution erhob, und der sie dann undankbar zurückdrängte –, nein, der arme, für illegitim erklärte Bonaparte kämpft hier, und will den Völkern einen geordneten und wohlbefestigten Liberalismus als sein Erbteil zurücklassen. Er lernte Kaiser und Könige, und ihre – – kennen, und mit ihnen seine eigentliche Laufbahn!«

134,4 *Chocs:* (frz.) Angriffe, Stöße.

134,11 *Wagram:* Marktgemeinde in Niederösterreich, seit Mitte des 16. Jh.s: Deutsch Wagram. Napoleon siegte hier am 5./6. Juli 1809 über die Österreicher.

134,33 *Lobau:* Georges Mouton, Graf von L. (1770–1838).

134,34 *Teten:* Spitzen.

136,26 *Friant:* Louis, Graf von F. (1758–1829).

139,34 *sprengen:* Hs.: »springen«.

140,19 *Congreven:* Brandraketen, benannt nach dem englischen General Sir William Congreve (1772–1828), der dieses Kampfmittel verbessert hat.

140,25 *ich?:* Hs.: »ich!«.

140,30 *lauter:* Hs.: »tausend«.

Nachwort

Christian Dietrich Grabbe, auf väterlicher wie auf mütterlicher Seite lippischen Stammes, wurde am 11. Dezember 1801 in der kleinen Residenzstadt Detmold geboren, wo sein Vater den wenig geachteten Beruf eines Zuchthausverwalters ausübte. Die liebevoll um ihr einziges Kind besorgten Eltern ließen ihm eine höhere Bildung zuteil werden. Der insbesondere für Geographie und Geschichte begabte Knabe konnte das Gymnasium seiner Vaterstadt besuchen, bezog Ostern 1820 die Universität Leipzig und vertauschte sie zwei Jahre später mit der Berliner. Dort lehrte unter anderen Friedrich von Raumer, nachmals Verfasser der weithin wirkenden *Geschichte der Hohenstaufen und ihrer Zeit*, dort hielt seit Oktober 1818 Georg Wilhelm Friedrich Hegel Vorlesungen auf dem Gebiete der Philosophie, in deren Kreis er nun auch die Philosophie der Geschichte zog. Es ist kaum anzunehmen, daß Grabbe dieses Kolleg gehört hat, doch wird er mit dem dort vorgetragenen Gedankengut wenigstens in großen Zügen bekannt geworden sein, da sich die gesamte geistige Welt mit ihm auseinandersetzte. Nach anfänglichem Schwanken hatte sich Grabbe für das Studium der Rechtswissenschaft entschieden. Jedoch folgte er dabei einem äußeren Zwang, nicht seinem inneren Beruf, dessen er sich frühe schon bewußt geworden war: dem zum dramatischen Dichter.

Zwei Faktoren waren es, die Grabbes Werdegang entscheidend bestimmten. Der erste ist das Erlebnis der napoleonischen Zeit mit ihren politischen Spannungen und deren kriegerischem Austrag, mit ihren Umwälzungen auf staatlichem und gesellschaftlichem Gebiet, das Erlebnis Napoleon Bonapartes als des überragenden Tatgenies, des Weltformers, der als ein Instrument des Weltgeistes im Sinne der Hegelschen Geschichtsphilosophie seiner leidenschaftlich bewegten Epoche das Gepräge gab. Der zweite, dem künstlerischen Gebiet zugehörend, war das Erlebnis Shakespeares mit seinem umfassenden Genie, seiner vielseitigen Phantasie, seinem tiefen Blick in das Leben und in die Weltgeschichte und seiner Schöpferkraft (wie ihm Grabbe später in der *Shakspearo-Manie* nachrühmt).

Am Anfang von Grabbes dichterischem Schaffen steht eine

Periode der Subjektivität. Im Juli 1817 bot er dem Verlagsbuchhändler Göschen in Leipzig sein Trauerspiel *Theodora* an, von dem nichts auf uns gekommen ist. Im Juni 1822 beendete der Berliner Student den, mit seinem Konzeptionskern gleichfalls in die Detmolder Schülerzeit zurückreichenden *Herzog Theodor von Gothland*, eine Weltanschauungstragödie großen Stils, in welcher der junge, des Glaubens seiner Väter verlustig gegangene Mensch um eine Antwort auf die letzten Fragen rang, die eine grüblerische Natur bewegen; Fragen nach dem Sinn des Lebens, nach dem Wesen des Göttlichen und der Möglichkeit, Gottes Dasein unmittelbar zu erfahren. Ihm ließ Grabbe noch im selben Jahre das »teufelmäßige« Lustspiel *Scherz, Satire, Ironie und tiefere Bedeutung* nachfolgen, das soweit Literatursatire, als ein vernichtendes Strafgericht über die verflachten Tageserzeugnisse geschrieben war, sich aber darüber hinaus erhebt zur Weltsatire, und, »wenn auch in der äußeren toll-komischen Erscheinung ein vollkommener *Kontrast* des so tragischen Gothlands«, so doch aus den »nämlichen Grundansichten« entsprungen wie dieser, und an zerstörerischem Willen ihm in nichts nachstehend. *Don Juan und Faust*, im Herbst 1828 vollendet und deutliche Spuren der Kenntnis Byronscher Dichtungen verratend, bildete den »Schlußstein« von Grabbes damaligem Ideenkreis. Dazwischen liegt, als der erste bedeutungsvolle Ansatz zu einem historischen Werk, *Marius und Sulla*, unvollendet geblieben, weil Grabbe in jenen Jahren noch keinen Ausgleich im Widerstreit von Verstand und Gefühl hatte finden können, aber zukunftweisend mit dem am Schluß eingefügten Bekenntnis: der Dichter sei »vorzugsweise verpflichtet, den wahren Geist der Geschichte zu enträtseln«.

Dieses Ziel verfolgte Grabbe in der zweiten Periode seines Schaffens, in der er sich, wie er sich ausdrückte, an die Geschichte band. In einem Zyklus von nicht weniger als acht Tragödien wollte er seiner Nation den Ruhm und Glanz der hohenstaufischen Kaiserzeit nahebringen. Ihrer zwei wurden beendet: Held der ersten ist Kaiser Friedrich Barbarossa, noch unverkennbar in den Schimmer romantischer Verklärung gestellt; die zweite, *Kaiser Heinrich der Sechste*, ein entschiedener Schritt vorwärts auf dem Weg des Realismus, mit einer Herrschergestalt von weltgeschichtlicher Größe, die sich zur

Erreichung ihrer machtpolitischen Ziele, jenseits aller Morali-
tät, eines jeglichen Mittels bedient, ihrerseits aber auch nur ein
Werkzeug in der Hand des Weltgeistes ist, der es aufopfert,
wenn er seiner nicht mehr bedarf.

Daß Grabbe die *Hohenstaufen* nicht fortsetzte, hatte seinen
Grund in den politischen Ereignissen. Die sie erlebten, sahen
sich der Notwendigkeit enthoben, in die Vergangenheit zu
flüchten; denn nun wurde ihre Gegenwart lebendig. Noch war
die Arbeit an *Heinrich dem Sechsten* nicht beendet, da nannte
Grabbe bereits seinen neuen Vorwurf: *Napoleon oder die hundert Tage.*

Grabbe hat einmal gesagt, weil es keinen Krieg gebe, müsse
man ihn machen in Tragödien. Dieses Wort rührt unmittelbar
an eine der tiefsten Wurzeln seines Dichtertums. Man wird mit
gutem Recht fragen dürfen, ob er jemals Geschichtsdramatiker
geworden wäre, wenn er selbst an einem der dramatischen
Höhepunkte der Geschichte erlebt hätte, zu einer Zeit, die von
Spannungen erfüllt war, in der aus der kämpferischen Ausein-
andersetzung verschiedener Prinzipien eine neue Epoche geschichtlichen Seins geboren wurde, und wenn er befähigt und
berufen gewesen wäre, als ein Mann der Tat mitwirkend inmitten solcher geschichtlichen Ereignisse zu stehen. Von früh auf
fühlte er sich von der Lebenssphäre des Soldaten angezogen.
Eingesponnen in eine phantastische Welt, ahmte er in kindli-
chem Spiel die Bewegungen der gegnerischen Heere mit Veits-
bohnen nach, wobei dann eine besonders dicke Bohne sein
Napoleon, ein »Schwerenotskerl«, war. Auch später noch war
der Kaiser der Franzosen Grabbes Idol, und sein Biograph
Ziegler meint, in gewisser Weise habe er Ähnlichkeit mit ihm
gehabt, nämlich in dem »Heftigen, Raschen, Imperatorischen
und doch wieder Skurrilen in seinem Wesen«. Sicherlich ist
damit eines der tragischen Momente in Grabbes Leben aufge-
deckt. Aus dem Widerspruch zwischen einem Leben in der
Enge, einem Tun im Kleinen und Kleinlichen auf der einen und
dem Wunsch nach einem schöpferischen, umgestaltenden
Schaffen im Großen auf der anderen Seite mußte eine Span-
nung entstehen, die immer unerträglicher wurde. Wiederholt
suchte Grabbe einen Ausweg: Es blieb ihm die Flucht in den
Bereich der Dichtung, der Rausch im Geistigen; so wie er
immer wieder im Rausch des Alkohols das Leid zu vergessen
suchte, das mit ihm geboren war.

Ein Zweites kam hinzu, dem Dichter das Thema der Hundert Tage gerade damals nahezubringen. Mit seiner feinen Witterung für das Politische spürte er, daß er an einer Zeitwende stehe. Quälend fühlte er die Leere, die mit Napoleons Ende in die Welt gekommen war. Es schien ihm, als sei diese Welt ein ausgelesenes Buch und die Mitlebenden stünden, aus ihr hinausgeworfen, als Leser davor und repetierten und überlegten das Geschehene. Er zweifelte daran, daß der »Geist über den Wassern die flaue Friedenszeit, ausgeputzt mit konstitutionellen Schranken, für dienlich« halte. Ihn ekelte davor, den matten und gebrochenen Widerschein vergangener Taten immer nur im Guckkastenbild des Geschichtsschreibers zu finden. Glühenden Herzens ersehnte er eine neue Unmittelbarkeit, in der durch eine leidenschaftlich vorwärtsstürmende Bewegung Altes und Morsches hinweggefegt, Junges und Lebenskräftiges geboren werde, ersehnte er eine andere Persönlichkeit von weltgeschichtlicher Größe, die, von diesem Wirbel emporgehoben, dem Menschen eine neue Daseinsform bringe. »Wild ist die Zeit«, schreibt er unterm 2. Oktober 1830 an seinen Freund und Verleger Kettembeil, »abschreckend sogar, paß aber auf, im Sturme zeigt sich der Fels.« Ähnliches hatte Frankreich vor Napoleons Rückkehr von Elba erlebt: gärende Unbefriedigung mit der gegenwärtigen Lage, sehnsüchtige Hoffnung auf den Mann, der mit starker, sieggewohnter Hand die am Boden schleifenden Zügel der Herrschaft erfasse.

Von vorn herein, so sahen wir, wollte sich Grabbe auf die Episode der Hundert Tage beschränken, also nur den untergehenden Helden zum Gegenstand seiner Dichtung machen. Die Erwägung, daß nur dadurch das Gebot der dramatischen Konzentration zu erfüllen sei, mag mitgesprochen haben. Eine andere Absicht dagegen gab Grabbe auf: die, auch den *Napoleon* im gewohnten Versmaße zu schreiben. Nur ein winziges Bruckstück aus dieser Anfangsform hat sich erhalten; in einem noch ungedruckten Briefe liest man:

– – – – – »Des stolzen Österreichs
   Trauernde Blume neigt gewiß nach Elba hin
   Ihr tränenschweres Haupt.«

Sehr bald kam Grabbe zu der Überzeugung, daß er die »Artillerie-Trains, die congrevischen Raketen usw. nicht in Verse zwingen« könne, ohne sie lächerlich zu machen. Er entschloß sich (so weh es ihm tat) zur Prosaform, der er auch künftighin treu geblieben ist.

Anfang August 1829 wird der Plan des *Napoleon* zum ersten Mal erwähnt. Vier Monate später ist das Werk »im Gange«. Von Kettembeil erbat der Dichter Fleury de Chaboulons *Mémoires* und die Venturini-Bredowsche *Chronik* für die Jahre 1813 bis 1817. Im Winter brach er auf einer Schlittenpartie den linken Arm. Deshalb mußte er die Arbeit liegenlassen, las aber während der Krankheit »ungeheuer viel«. Er fand den Stoff »groß, von selbst dramatisch«. Im April 1830 ist die Tragödie im Werden. In diesem Frühjahr lernte Grabbe Henriette Meyer kennen. Die Neigung zu dem schönen, anmutigen und leidenschaftlichen Mädchen begeisterte ihn bei der Arbeit; Adeline und die Sultanin sind Abbilder der Verlobten. Ende Juli gedachte Grabbe fertig zu sein. Unterm 14. dieses Monats meldete er Kettembeil, das Werk sei nunmehr »in der letzten Szene«. Diesmal will er eine völlig ausgereifte, des Gegenstandes würdige Leistung vollbringen. All sein Geist, jede seiner Ansichten sollen so viel als möglich hinein. Darum bat er den Freund, ihm »den vollsten Lauf« zu lassen. Kettembeil war damit einverstanden.

Zu Anfang des Augusts war das Drama wirklich fertig. Nun schrieb es Grabbe nach seiner Gewohnheit selbst »corrigendo, supplendo etc.« ab, das heißt indem er Verbesserungen anbrachte, Lücken ergänzte, einzelne Partien sorgfältig ausführte, die zunächst nur skizziert waren. Die Weltereignisse, welche jetzt losbrausten, »wie geschmolzene Gletscher«, drängten die Arbeit, die er »von Tag zu Tag« beschleunigte. Denn sein Ehrgeiz war, »in die Zeit« zu greifen. Jeden Tag brachte er mehrere Bogen zustande. Bei der Gelegenheit aber wuchs das Werk wieder; bei der ungeheuren Aktualität des Stoffes wuchsen aber auch die Schwierigkeiten, ihn zu bewältigen. Weil er so naheliege, aus keinem anderen Grunde, sei er »riesenartig«, bemerkte der Dichter. Ganz anders als bei entlegenen Vorwürfen fühlte er sich verpflichtet, die gegebenen Fakten gewissenhaft zu kontrollieren; er will nichts übersehen, was »mancher Laffe, der es grade gesehen hat, besser weiß«. Die Arbeit wird zu einem Wettlauf mit den politischen Ereignissen, die ihn zwingen, das Werk »nicht allein umzuschreiben, sondern zu potenzieren«. Vieles habe er geahnt, schreibt er unterm 10. November, jetzt müsse er noch mehr ahnen. Dafür mußte er, »um kein arger Prophet ex post zu sein«, manches streichen, da schließlich die Begebenheiten rascher waren als Abschreiber und Setzer. Auf solche Art haben auch sie ihren Anteil an der endgültigen Gestalt des Werkes.

Im Januar 1831 war der *Napoleon* »in vollem Druck«. Am 12. sandte Grabbe den ersten Korrekturbogen zurück. Da der Drucker in Zweibrücken saß, zog sich die Herstellung des Buches sehr lange hin. Erst im April konnte es ausgeliefert werden.

Von der Masse der Niederschriften zum *Napoleon* ist nur die Druckvorlage erhalten. Wir können deshalb den Prozeß der Reife, den das Werk durchgemacht hat, nur von seiner inneren Struktur und aus den Briefen des Dichters ablesen. Dabei ergibt sich, daß sich dieser im Verlauf der Arbeit beträchtlich von seiner ursprünglichen Konzeption entfernt hat. In deren Mittelpunkt stand der Kaiser. Später wollte er auch alle Ideen in dem Werke ausschütten, die er je über die Revolution gehabt; die seien »gut und viel«. Je eifriger er sich mit seinem Gegenstand beschäftigte, desto mehr änderte sich seine Auffassung Napoleons, und je näher die Pariser Juli-Tage rückten, desto mehr verschob sich der Akzent. Napoleon, so schrieb er unterm 14. Juli, sei übrigens eine so große Aufgabe nicht. Er sei kleiner als die Revolution, und im Grunde nur das Fähnlein an deren Mast. Nicht Er, die Revolution lebe noch in Europa; nicht Er, seine Geschichte sei groß. Man könnte meinen, Grabbe habe aus dieser veränderten Grundlage die Folgerungen für die Gestaltung Napoleons gezogen. Dem war nicht so. Er wollte die Wirkung des Werkes nicht beeinträchtigen, indem er gegen den Strom schwamm. Darum werde er, so fährt er in jenem Brief fort, im Drama »aus Klugheit den l'empereur et roi hochhalten«; er könne es auch mit gutem Gewissen, Er sei groß, »weil die Natur ihn groß machte und groß stellte, gleich der Riesenschlange, wenn sie den Tiger packt«.

So scheint es, als sei jetzt die Revolution das eigentliche Thema des Dramas geworden. Grabbe denkt sogar daran, wenn *Napoleon* glücke, einen *Robespierre* zu schreiben. Seine innere Entwicklung schritt auch über diesen Standpunkt hinaus, und der Akzent verschob sich zum zweiten Mal.

Wie Ziegler berichtet, hatte Grabbe »die Juli-Tage mit Jubel
und Enthusiasmus aufgenommen und mit Freuden Louis-Phi-
lipp begrüßt«; er hatte »mit gespannter Erwartung den überra-
schenden Neuigkeiten zugehört, die sich täglich drängten, hatte
mitgeschwärmt und die Marseillaise mitgesungen«. Nachher
aber verschwand seine Begeisterung und machte einer spötti-
schen Betrachtung Platz.
Wirklich fühlte sich Grabbe von Verlauf und Erfolg der Juli-
Revolution enttäuscht. Er hatte eine Erneuerung der Welt und
der Menschen von ihr erhofft, hatte geglaubt, daß die im künstlerischen Leben obwaltende »flache Reflektion« einem neuen
Ernst, einer neuen Vertiefung weichen werde. Nur zu bald
lehrte ihn die Erfahrung, daß der menschliche Geist sich nicht
so leicht ändern lasse. Kettembeil schickte ihm allerhand Broschüren. Er fand sie »alle zu flach, zu dumm, zu dünn und
eigentlich noch in der alten Zeit ganz befangen, so sehr sie auch
noch zum Teil« schrien, sie wären es nicht. Bei einer späteren
Gelegenheit bezeichnete er die politischen Schriften als
»Gegaukel«, bemerkte, er lese kein Buch, in dem bewiesen
werde, daß »Licht Licht, Despotie Despotic, Preßfreiheit Preßfreiheit« sei, und schloß mit dem Bekenntnis: »Ich bin sehr
liberal, aber das jetzige Revolutionsrasen ist weiter nichts als
ein notwendiges Übel, welches die Menschheit durch Leiden
dahin führen wird, daß jeder einsieht, es gibt nur ein Glück, und
das ist sich selbst zu reformieren und klug genug zu sein, um
völlig edel zu sein.«
Die gleiche Einsicht, daß der Mensch gut daran tue, anstatt die
Erneuerung seiner Natur von außen her zu erwarten oder mit
seinen politischen Lehren andere bekehren zu wollen, bei sich
selbst anzufangen, hatte er schon kurz vorher in einem Brief an
Wolfgang Menzel ausgesprochen, dem er unterm 15. Januar
1831 u. a. schrieb: »Alle Staatsrevolutionen helfen aber doch
nichts, wenn nicht auch jede Person sich selbst revolutioniert,
i. e. *wahr* gegen sich und andere wird. Darin steckt alle Tugend,
alles Genie. Ist das toll von mir gedacht?«
Möglicherweise hat auch diese neue Erkenntnis noch Eingang
in den *Napoleon* gefunden, ist die auf dem Marsfeld spielende
erste Szene des vierten Aufzuges zu dem Zweck eingefügt, sie
zum Ausdruck zu bringen. Denn der Jouve, der hier seine zyni-
schen Glossen zu dem macht, was sich vor seinen Augen

abspielt, ist ein anderer, als der, den wir zuvor kennenlernten.
Er hat den Glauben an die Revolution verloren. Seine Verachtung der Menschen, dieses »elenden, der Verwesung entgegen-
taumelnden Gewimmels«, ist zu groß, als daß er noch überzeugt
sein könnte, es verlohne sich, ihretwegen eine zu machen.
Angewidert reicht er seiner galanten Partnerin den Arm; nur im
Genuß findet er noch den Sinn des Lebens.
Unmittelbar vor dem Ende Kaiser Heinrichs VI. hat Grabbe in
diese Tragödie eine eigentümliche Szene eingefügt. Sie ist nur
kurz, doch fällt von ihr ein erhellendes Licht auf das Ganze des
Geschehens. Ein Herdenbesitzer und dessen Knecht kommen
ins Gespräch, und in diesem wird der Wechsel der Herrscher und
der Herrschaften der ewigen Dauer alles urtümlichen Geschehens gegenübergestellt. Diese Weltsicht wirkt im *Napoleon* weiter; sie breitet sich aus und durchdringt das gesamte Werk.
Auch hier wird die Welt zunächst als der Schauplatz ewig wech-
selnden Geschehens erlebt. Nichts ist von Dauer, aber auf ein
Ende folgt stets wieder ein Anfang; so wird eine menschliche
Ordnung von der andern abgelöst. Ob die alte Putzmacherin auf
ihre Erlebnisse zurückblickt, oder König Ludwig angesichts
des unter ihm sich ausbreitenden Paris seine Betrachtungen
anstellt, ob Vitry darüber spottet, was man seit dreißig Jahren
unter »ewig« verstehe, oder Jouve aufzählt, wie viele Konstitutionen, Satzungen und Charten beschworen und wieder verra-
ten worden seien, es ist immer das gleiche: Nichts ist von
Bestand. Die alte Putzmacherin zählt die Führer der Revolution
her, die auf dem Opferaltar Frankreichs ihr Leben gelassen
haben: Danton, Herault de Sechelles, Robespierre. Von keinem wird gesagt, daß er etwa wegen irgendeiner Schuld gefallen
sei. Vielmehr war ihre Rolle im Weltgeschehen ausgespielt; ihre
Zeit war vorbei. Selbst der Stärkste wird in diese Vergänglich-
keit hineingezogen; auch Napoleon. Eines nur ist unvergäng-
lich: der Mensch in seiner Kleinheit. Als Vitry und der alte
Offizier im Gespräch beieinanderstehen und zwei Emigranten
vorübergehen, da bemerkt der Offizier: »Von der Revolution
mit ihren blutigen Jahren wissen sie nichts, . . . das ist vorüber,
sie aber sind geblieben, wie bisweilen der Bergstrom verbraust
und das Gräslein bleibt und vielleicht darum sich für stärker hält
als die Fluten, welche es eben noch überschütteten und die Ufer
auseinanderrissen.«

Der *Napoleon* war dem Dichter nicht Selbstzweck; vielmehr sollte er in die Zeit greifen. Um diese Wendung zu verstehen, müssen wir uns vergegenwärtigen, daß Grabbes Gesamtwerk in bewußtem Gegensatz zu der seelischen Haltung des Biedermeier entstanden ist. Der Charakter des Biedermeier aber war unheroisch. Der biedermeierliche Mensch war antidynamisch. Er fand sein Genügen in einem einfachen Leben, in der Beschränkung eines kleinen Kreises, im stillen Frieden des Hauses. Wagemut und Kampfeslust lagen ihm fern. Mit seiner Neigung zu wehmütigen Rückblicken auf das Vergangene trägt er Züge des Alters. Angesichts solcher Haltung war Grabbes Ringen darauf gerichtet, in seinem Volk den heldischen Geist wiederzuerwecken. So setzte er dem unheroischen Lebensideal des Biedermeier den heroischen Menschen entgegen, den kühnen, kämpferischen Menschen der Tat, dem das Leben nicht das höchste der Güter ist, der sich vielmehr bereit zeigt, es einem hohen Ziel zu opfern, selbst dann zu opfern, wenn es ungewiß bliebt, ob es erreicht wird und der Erfolg den Einsatz verlohne. Diese heroische Haltung ist im *Napoleon* auf französischer Seite zu finden wie auf alliierter; bei dem Gardeoboisten, der mit dem Ausrufe stürzt: »Oh, wie süß ist der Tod!«, und bei Cambronnes Granitkolonne, die lieber stirbt, als sich zu ergeben, wie auch bei der Todesbereitschaft der freiwilligen Jäger im preußischen Feldlager. Dafür fällt ihre ganze Verachtung auf einen Mann, wie den Pächter Lacoste, der inmitten des Dröhnens der Kanonade seine Furcht nicht verbergen kann. Solche aber, die sich zu Nutznießern einer Zeit machen wollen, in der die heroische Tat herrscht, wie der Schneidermeister und der Krämer, werden ohne Erbarmen ausgelöscht.

Von dieser Erkenntnis her wird nun auch deutlich, wo die Tragik Napoleons zu suchen ist. Worin Grabbe sie erblickt, hat er im Werk selbst angedeutet. »Nicht Völker oder Krieger«, so läßt er ihn sprechen, »haben mich bezwungen – das Schicksal war es.« Und in den Worten, mit denen er vom Schauplatz abtritt, wird ausdrücklich der Weltgeist beschworen. Der hat sich seiner als seines Werkzeuges bedient; um dessen Zweck zu erfüllen, ist er einst in der Welt erschienen, so wie vor ihm die Führer der Französischen Revolution und König Ludwig XVI., die aber alle sinken mußten, als »ihre Zeit vorüber war und ihre Anhänger doch trotzen und rückwirken wollten«.

Zu Beginn der Tragödie ist Napoleon der Verbannte von Elba. Noch aber hat er seinen Herrschaftstraum nicht ausgeträumt; noch immer hält er sich für stark genug, die »Zuchtrute« zu schwingen über Europa, dem »kindisch gewordenen Greise«, der ihrer bedürfe. So wie Hegel die Perioden der Geschichte als von einem einzigen Volk getragen erkannte, ist sein Ziel die Herrschaft der Franzosen über die Erde, die am glücklichsten sei, wenn »das größte Volk das herrschendste« sei, »stark genug, überall sich und seine Gesetze zu erhalten«. Er übersieht dabei, daß die Entwicklung der Geschichte bereits über ihn hinausgegangen ist. Wohl ist sein Geist noch in der Zeit lebendig; daneben aber kommen ganz andere Tendenzen auf, in denen eine neue Epoche sich ankündigt. So liegt die Tragik der Gestalt Napoleons darin, daß er vom Glauben an seine Größe und seine Stärke auch dann noch erfüllt ist, als er sie schon nicht mehr besitzt; daß er sich bloß von den verbündeten Mächten in die Acht getan wähnt und noch darauf hofft, die frühere Machtstellung zurückzugewinnen, als schon das Schicksal ihn entthront hat; daß er den »Tigersprung« von Elba wagt, als auch seine Zeit vorbei ist.

Die nun sich aufdrängende Frage, ob mit dem Sturz des Korsen wiederum eine neue Ordnung heraufgeführt werde, so wie vordem durch ihn, wird auf eine Art beantwortet, in der Grabbes skeptische Haltung sich unverkennbar ausdrückt. Wohl hofft Napoleon, daß einst der Weltgeist erstehe, an die Schleusen rühre, »hinter denen die Wogen der Revolution« und seines Kaisertums lauern, und sie von ihnen aufbrechen lasse, daß die Lücke gefüllt werde, welche nach seinem Austritt zurückbleibe. Zunächst aber sieht er statt der »goldenen« Zeit eine »sehr irdene, zerbröckliche« kommen, »voll Halbheit, albernen Lugs und Tandes«; statt eines großen Tyrannen lauter kleine. Aber auch Blücher, sein Besieger auf dem Schlachtfeld, kann sich der Zuversicht nicht rühmen, daß die im Namen Belle-Alliance liegende günstige Vorbedeutung eintreffen werde. Er entläßt seine »hochachtbaren Waffengefährten« mit dem zweifelhaften Zuspruch: »Wird die Zukunft eurer würdig – Heil dann! – Wird sie es nicht, dann tröstet euch damit, daß eure Aufopferung eine bessere verdiente!«

Die *Hohenstaufen* fortzusetzen, nachdem der *Napoleon* beendet, hatte Grabbe keine Lust. »Sie sind zu klein für die Zeit«,

schrieb er im Juni 1831 an seine spätere Gattin, »und ach – auch
unsere Zeit ist mehr toll als groß.« So waren ihm literarisch die
Hände frei. Kettembeil schlug ihm, auf die Polenbegeisterung
jener Tage spekulierend, den Freiheitshelden Tadeusz Kos-
ciuszko zum Vorwurf einer neuen dramatischen Arbeit vor.
Grabbe griff zu, quälte sich lange mit dem Stoff und ließ ihn am
Ende doch fallen. Henriettens Aufhebung des Verlöbnisses
hatte seine Schaffenskraft gelähmt. Im März 1833 band er sich
erneut. Seine Wahl Louisens, der zehn Jahre älteren Tochter
seines ehemaligen Gönners, des Archivrats Clostermeier,
konnte nicht unglücklicher sein. Dem Martyrium ehelicher
Skandalszenen war seine sensible Natur nicht gewachsen. Sein
bedrohtes Dichtertum gab ihm die Kraft zum kühnen Ent-
schluß, alles aufzuopfern, Amt, eheliche Gemeinschaft und
selbst die geliebte Heimat, um in der Fremde als ein freier
Schriftsteller nur seinem wahren Beruf zu leben. Anfang Oktober 1834 fuhr er nach Frankfurt am Main. Mit sich führte er den
Anfang einer neuen Tragödie. Ihr Held war Hannibal, der kar-
thagische Feldherr, dessen Gestalt ihm, in den Monaten tiefsten
Leides, zum Sinnbild des eigenen Schicksals geworden war. Auf
dieses Werk setzte er seine Hoffnung. Sie aber trog, und statt
einer Einigung kam es mit Kettembeil, dem Freund und Verleger, zum völligen Bruch. Auf seine Bitte nahm Immermann, der
im nahen Düsseldorf das Stadttheater leitete, sich des Bedräng-
ten an und schuf ihm die Grundlage für eine letzte literarische
Tätigkeit. *Hannibal* wurde umgeschmolzen und vollendet, das
Märchenlustspiel *Aschenbrödel*, 1829 entstanden, jedoch von
Kettembeil abgelehnt, für den Druck umgearbeitet, über die
Düsseldorfer Musterbühne eine Broschüre geschrieben, die
einem weiteren Kreis die Eigentümlichkeiten und Verdienste
dieser Gründung nahebringen sollte. Andere Arbeiten sind
unvollendet geblieben oder mit dem *Düsseldorfer Fremden-
blatte*, in dem sie erschienen, verschollen, wie etwa eine Rezen-
sion von Immermanns Schriften und das Bruchstück einer
Übersetzung von Shakespeares *Hamlet* nach der 1825 aufgefun-
denen ersten Quarto. Alte und neue Pläne beschäftigten Grabbes rastlosen Geist. Von allen ist nur einer noch ausgeführt
worden: der, aus der *Hermannsschlacht* ein großes Drama zu
machen. Es war von nun an sein »Hauptgeschäft«.
Referate über das Düsseldorfer Theater, die Grabbe im Winter

1835/36 schrieb, führten zum Zerwürfnis mit Immermann, der ihm in seinem Exil ein Halt gewesen war. Immer mehr versiegten die Quellen der äußeren Existenz, dafür nahmen Krankheit und Hilflosigkeit zu, und so kam der Tag, da der Dichter nur die Wahl hatte zwischen einem »wohlfeilen Sturze in den Rhein« und dem bitteren Entschlusse zur Heimkehr. Wiederum war es sein Dichtertum, das ihm den rechten Weg wies. Noch war die *Hermannsschlacht* nicht beendet, sein »Erdgeschäft« nicht aus. In erbarmungswürdigem Zustand kam er am 26. Mai in Detmold an und stieg vorerst in der »Stadt Frankfurt« ab. Sein erster Ausgang galt der Mutter. Er verblieb im Gasthof, bis die *Hermannsschlacht* im Konzept beendet war. Dann erst siedelte er in das Clostermeiersche Haus Unter der Wehme über, aus Furcht vor der Gattin von einem Polizeidiener begleitet. Er siechte noch eine Weile hin und ist am 12. September 1836, gegen drei Uhr nachmittags, nach schwerem Todeskampf in den Armen der Mutter gestorben.

Alfred Bergmann

Inhalt

Christian Dietrich Grabbe

IN RECLAMS UNIVERSAL-BIBLIOTHEK

Don Juan und Faust. Tragödie. Mit einem Nachwort von Alfred Bergmann. 115 S. UB 290

Hannibal. Mit einem Nachwort von Alfred Bergmann. 86 S. UB 6449

Napoleon oder die hundert Tage. Drama. Mit einem Nachwort von Alfred Bergmann. 167 S. UB 258

Scherz, Satire, Ironie und tiefere Bedeutung. Lustspiel. Mit einem Nachwort und Anmerkungen von Alfred Bergmann. 86 S. UB 397

Philipp Reclam jun. Stuttgart